"Le soleil était un petit homme laid et mal fait. On lui demanda : veux-tu être le père du monde ?
Ayant répondu oui, on le vêtit d'or pur, habits d'or, sac en or, bonnet d'or, tout était en or...
quand il se leva, la nuit s'acheva..."

Mythologie Kogui

L'or des dieux,...

Conception graphique : Eric CHARLOT - Studio ADDENDA
Cartographie : Philippe BRUNELLA
Dessins : Stéphane SERRE
Traductions : Daniel LEVINE

ISBN 2-87692-200-2

Exposition organisée par le Conseil Général de la Moselle
Metz-Arsenal
14 juin-2 octobre1994

... l'or des Andes.

Cet ouvrage a été réalisé
grâce à la participation scientifique,

pour le Pérou, de

Cecilia BAKULA
Gabriela SCHWORBEL
Daniel LEVINE

pour l'Equateur, de

Maria SELEDAD LEIVA
Maria-Clara MONTANO
Santiago ONTANEDA
Marcello VILLALBA
Antonio FRESCO
Sergio DURAN-PITARQUE

pour la Colombie, de

Clémencia PLAZAS
Ana-Maria FALCHETTI

Sous la direction de

Daniel LEVINE,
Chargé du Département Amérique
du Musée de l'Homme à Paris
Commissaire de l'exposition

Photographies de

Jean-Claude KANNY

Editions Serpenoise

Les Européens, depuis les temps les plus reculés, ont toujours considéré l'or comme un moyen de puissance et de pouvoir en raison de sa valeur marchande ; dès l'Antiquité, le métal précieux a servi de monnaie d'échange entre les puissants et les Etats.

C'est dans ce contexte que les civilisations andines précolombiennes, en raison des récits des premiers conquérants à propos de leur richesse en or, ont exercé un pouvoir attractif sans précédent.

Depuis le début de ce siècle et en particulier ces vingt dernières années, une prise de conscience mondiale au plan archéologique a placé ces pays, en particulier le Pérou, l'Equateur et la Colombie, parmi ceux qui provoquent le plus de fascination chez les scientifiques et les amateurs d'art. L'orfèvrerie n'exerce plus désormais une fascination en tant qu'objet de métal précieux mais en raison de ses qualités archéologiques et esthétiques.

Il faut souligner, à ce propos, le rôle déterminant de l'UNESCO grâce à qui une prise de conscience interne et mondiale de ces richesses patrimoniales a pu s'exercer.

C'est dans ce contexte qu'il est apparu au Conseil Général de la Moselle que "l'Or des Dieux, l'Or des Andes" constituerait un événement à caractère européen à valeur scientifique et culturelle sans précédent.

C'est également dans ce contexte que l'UNESCO a bien voulu accorder à cette manifestation son haut patronage tout en l'inscrivant parmi les grandes opérations mondiales de la décennie culturelle.

Après "Les Guerriers de l'Eternité" en 1992, je gage que "l'Or des Dieux, l'Or des Andes" constituera l'événement dont les Lorrains et les Mosellans seront fiers. Je formule le voeu qu'ils se l'approprient, qu'ils en soient les premiers vecteurs de promotion au bénéfice de notre belle Lorraine et de notre chère Moselle.

Philippe LEROY
Président du Conseil Général de la Moselle

Ornement de coiffe - Culture Mochica, Pérou - Musée archéologique Larco Herrera, Lima - 200 av. J.-C. - 600 ap. J.-C. - H : 46 cm - L : 37 cm.

Le Département de la Moselle et son Président
Philippe LEROY
ont pu mettre en place cette importante manifestation culturelle placée sous le parrainage de l'UNESCO, grâce au concours de :

Jean-Marie RAUSCH
Sénateur-Maire de la Ville de Metz et Président de l'Arsenal

Roger BENMEBARECK
Préfet de la Région Lorraine, Préfet de la Moselle

Federico MAYOR
Directeur Général de l'UNESCO

Son Excellence Hugo PALMA
Ambassadeur du Pérou en France

Son Excellence Santiago MASPONS
Ambassadeur de l'Equateur en France

Son Excellence Gloria PACHON DE GALAN
Ambassadeur de la Colombie en France

Son Excellence Camille ROHOU
Ambassadeur de France au Pérou

Son Excellence Laurent RAPIN
Ambassadeur de France en Equateur

Son Excellence Charles CRETTIEN
Ambassadeur de France en Colombie

Joseph SCHAEFER
Vice-Président du Conseil Général de la Moselle, chargé de la Culture et du Tourisme

Bernard HERTZOG
Président de la Commission chargée de l'Animation et du Tourisme ainsi que les membres de la 5ème Commission

Marguerite PUHL-DEMANGE
Présidente Directrice Générale du Républicain Lorrain

Gilles MENAGE
Président d'Electricité de France

André DARRIGRAND
Président de la Poste

Robert GUERARD
Président du Directoire de la Caisse d'Epargne de Lorraine Nord

Jean-Louis DUMAS
Président de la Société Hermès

Jean-Claude DECAUX
Président Directeur Général de la Société Decaux

Philippe VUITTON
Président de la Société Giraudy

Michel AMILHAT
Directeur général du Réseau Autoroutier de l'Est et du Nord de la France (SANEF)

Patrick FRANCOIS
Directeur Général de la Société Transbank-Ardial

Jean-François MARGUERIN
Directeur Régional des Affaires Culturelles de Lorraine jusqu'en mars 1994

Musées et organismes prêteurs

PEROU

Musée de la Banque Centrale de Réserve du Pérou
Musée National d'Archéologie, d'Anthropologie et d'Histoire, Lima
Musée Archéologique Rafael Larco Herrera, Lima
Musée de la Banque Wiese, Lima

EQUATEUR

Musée de l'Or, Santa Fé de Bogota

COLOMBIE

Musée de la Banque Centrale de l'Equateur, Quito et Guayaquil

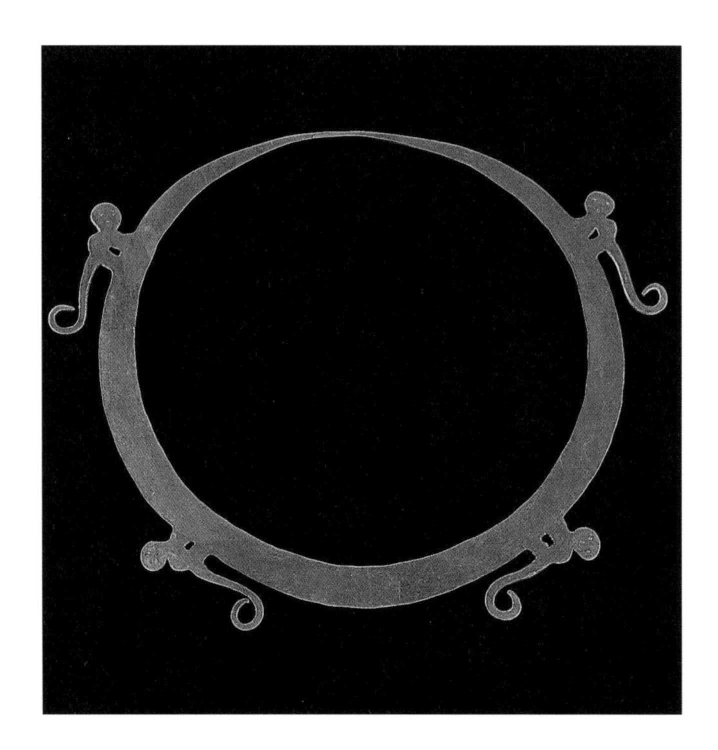

Ornement de nez - Culture El Carchi, Equateur
Musée de la Banque Centrale, Quito.
800 - 1500 ap. J.-C.
H : 13 cm - L : 16,2 cm.

L'exposition "L'OR DES DIEUX, L'OR DES ANDES" a été réalisée par le Département de la Moselle grâce au concours actif de

Lionel FOURNY
Directeur Général des Services Départementaux

Directeur du Projet
André DIEDRICH, Directeur de la Culture, du Tourisme et du Sport

Adjoints :
Corinne SCHMITT, Attachée culturelle
Jean-Luc LIEZ, Attaché culturel

Assistant :
Catherine KERVAREC, Assistante de Direction

Cartographie :
Philippe BRUNELLA, Archéologue expérimentateur du Département de la Moselle

Communication :
Sylvie CHAMPETIER-VITALE, Chef du Service de la Communication
Claude DUPUIS-RÉMOND, Attachée de presse
Francis DELANCHY, Conseiller en communication

Commercialisation :
Michel SAINT-PÉ, Directeur, et toute l'équipe du Comité Départemental du Tourisme de la Moselle.

Photographies :
Jean-Claude KANNY, C.D.T.

Maîtrise d'oeuvre et scénographie :
Frédéric SERRE, Service de Muséologie du Musée de l'Homme, assisté de Stéphane SERRE.

Muséographie :
Marlène POMMIER, Olivier MARTIN, Michelle GORGES, François GENDRON,
Michelle DANCHIN, Frédérique SCHILLO, Alain DANDRAU,
Isabelle PERRIN, Manuel VALENTIN, Laurence DUPIN.

Réalisation des décors :
DECO DÉCLIC

Eclairage :
EDF Esprit et Lumière
LAGOONA

Équipe technique et administrative sous la direction de Charles GUERNIER, Directeur du Patrimoine et des Moyens Techniques
Christian BRAM, Chef de service des Travaux et Affaires Immobilières
Patrick SCHUMMER, Chef de Bureau du Service Intérieur et l'ensemble de son équipe
Philippe BOUR, Adjoint technique au chef de bureau du Service Intérieur
Béatrice ARRIAT, Préparation des contrats et des marchés
Vinciane BENIMEDDOURENE, Chef de bureau des Domaines

Des remerciements tout particuliers vont :
à Efrain GOLDENBERG SCHREIBER, ministre des Affaires Etrangères du Pérou,
à José Antonio ARROSPIDE, Directeur de cabinet du ministre des Affaires Étrangères du Pérou,
à son Excellence José JIJON, Ambassadeur de l'Équateur, Directeur des Affaires Culturelles du ministère des Affaires Etrangères d'Équateur,
aux représentants de l'Ambassade du Pérou en France, Alfonso de SILVA et Marisol AGUERO, de l'Ambassade de l'Équateur à Paris, Claude LARA et Carlos JATIVA et de l'Ambassade de Colombie à Paris, Cecilia CASTELLO ainsi qu'aux personnels de l'Ambassade de France au Pérou, Hyacinthe de MONTERA et Alain CHESNEAU, de l'Ambassade de France en Equateur, Gérard FAROUX et de l'Ambassade de France en Colombie, Michèle GOLDSTEIN

Nous exprimons également notre gratitude à :
Isabel LARCO DE ALVAREZ CALDERON, Présidente du Musée Archéologique Rafael Larco Herrera, à Lima
Maria del Pilar REMY, Directrice du Musée National d'Archéologie, d'Anthropologie et d'Histoire du Pérou, à Lima
Maria Grazia STOJNIC, Responsable de la salle Hugo Cohen (Banque Wiese), à Lima
FOPTUR, office du tourisme du Pérou
Lorena SILVANI, Angela Patricia RAMIREZ, Alba GUZMAN RUEDA, du Musée de l'Or de Bogota
Estelina QUINATOA et Maritza FREIRE, du Musée de la Banque Centrale de l'Équateur

Ainsi qu'à :
Monsieur le Préfet CHARRIERE et ses services
Gérard HUGUIER, Directeur Général Adjoint de la Caisse d'Épargne de Lorraine Nord
Patrick ALLEAUME, Directeur régional de la Société Decaux
Adrien LICINIO, Directeur de l'agence Metz Giraudy
Daniel DENNINGER, Directeur de Giraudy Nancy
Godfroy de CHANTERAC, Directeur des Ventes Hermès
R. JAUFFRET, Directeur de la Poste de Moselle
Alain FRADET, Secrétaire Général de la Délégation Régionale Lorraine d'EDF
Jean-Marc DAUBEUF, Attaché Communication au Centre EDF-GDF Service Metz-Lorraine
Hélène PARES, Esprit et Lumière (EDF)
Henri BARIZEL, Directeur de la SANEF
Bernard CLAUDE, Adjoint du Directeur Général de Transbank-Ardial
Claire DURIEUX et Chantal COLLEU-DUMOND, Ministère de la Culture, Division des Affaires Internationales
René ROUQUAND, Directeur Général des Services Techniques de la Ville de Metz
Michel BRANDEL, Directeur de la FNAC de Metz
Isabelle FAVIER, Béatrice POINDRELLE, FNAC, Billeterie Paris
Jean LARPENTEUR, Directeur de l'Arsenal
Bernard DUPAIGNE, Professeur au Museum National d'Histoire Naturelle, Directeur du Laboratoire d'Éthnologie du Musée de l'Homme à Paris

Michel MAIGRET, Directeur des Editions Serpenoise
Eric CHARLOT, Graphiste
Gilles PELTIER, Imprimeur

Merci à tous les journalistes qui ont couvert cette grande manifestation

Transport : André CHENUE et Patrick DELAUCHE
Assurances : Pierre KAROTSCH, Michel BARTHELEMY et Alain GILBERT
Les services du RAID, du GIGN de Strasbourg, de la police urbaine de Metz, les Bureaux des Douanes de Roissy et d'Ennery

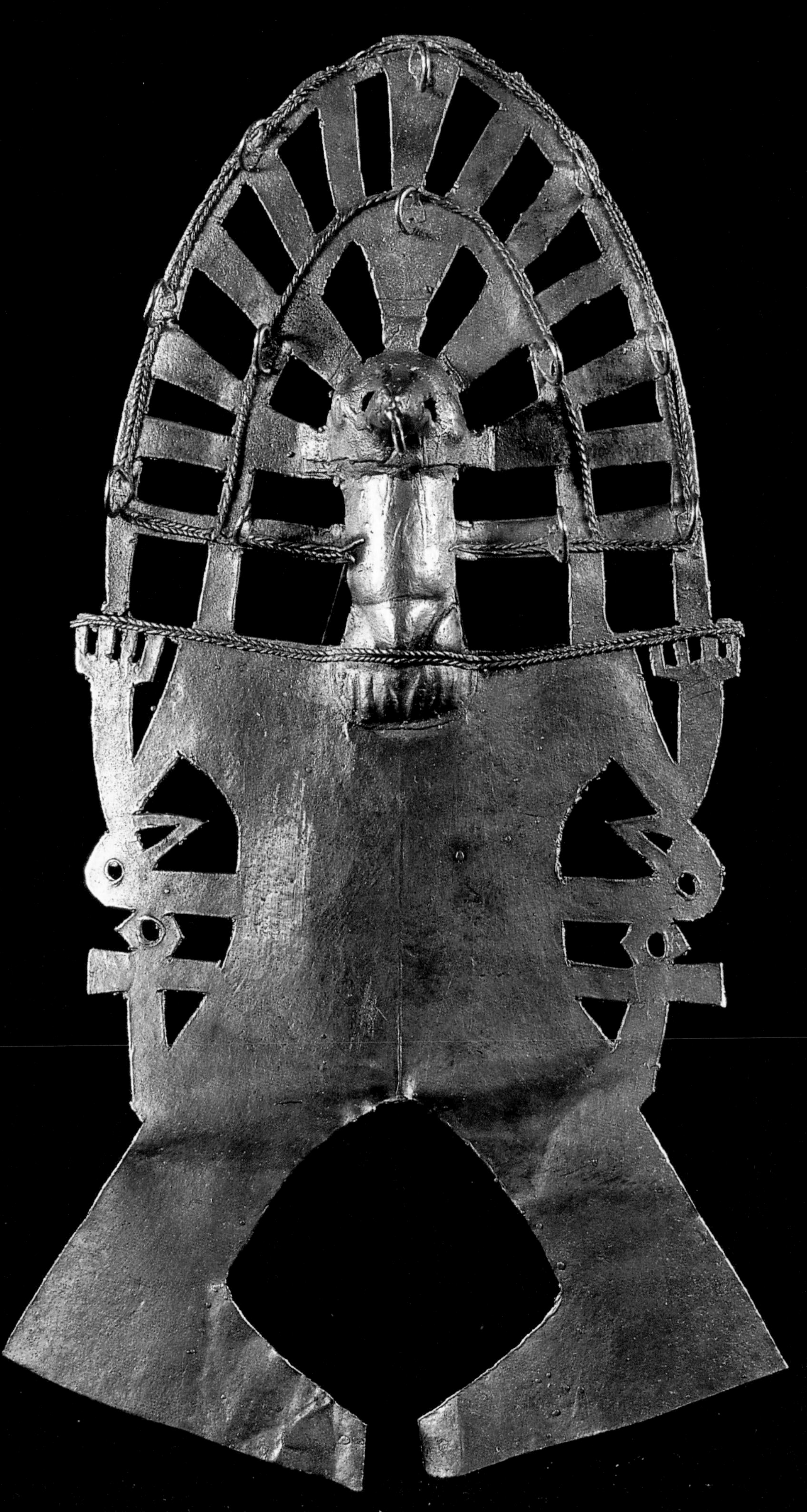

Personnage anthropomorphe à tête d'oiseau - Culture Muisca, Colombie - Musée de l'or, Bogota - 700 - 1560 ap. J.-C. - H : 17,5 cm - L : 10 cm.

Sommaire

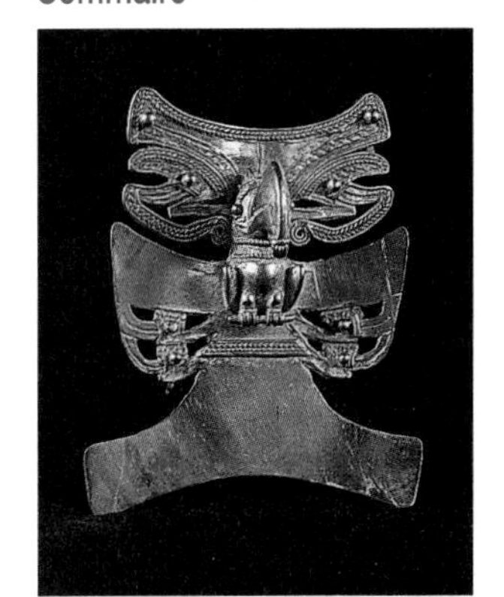

L'OR, "SUEUR DU SOLEIL"

Les peuples andins précolombiens utilisaient le métal précieux uniquement pour honorer leurs dieux - au premier rang desquels le soleil - et l'or n'avait chez eux aucune fonction utilitaire. Cela surprit évidemment beaucoup les conquistadores, qui, aveuglés par leur cupidité, firent fondre tout ce qui tombait entre leurs mains, privant à jamais l'Humanité d'inestimables trésors.

Dès le début de la conquête, quelques Européens s'efforcèrent cependant de préserver des traces des civilisations qu'ils avaient trouvées sur place à leur arrivée. Ce fut notamment le cas de Las Casas, qui, au 16ème siècle, s'illustra dans la défense des cultures d'Amérique. Mais il fallut attendre plusieurs siècles pour que l'on s'intéresse à nouveau aux peuples qui avaient pendant plus de trois millénaires travaillé l'or sur les territoires péruvien, équatorien et colombien.

Malgré les travaux remarquables d'érudits et d'universitaires du monde entier, notre connaissance des cultures de l'Amérique andine demeure fragmentaire, en raison notamment du pillage archéologique dont ces pays ont été victimes. Seuls quelques sites comme la tombe de Sipan, au nord du Pérou, ont pu récemment être scientifiquement fouillés.

A l'occasion de l'exposition "L'or des dieux, l'or des Andes", les plus éminents spécialistes du Pérou, de l'Equateur et de la Colombie font le point, dans les pages qui suivent, sur les cultures précolombiennes de l'Amérique andine.

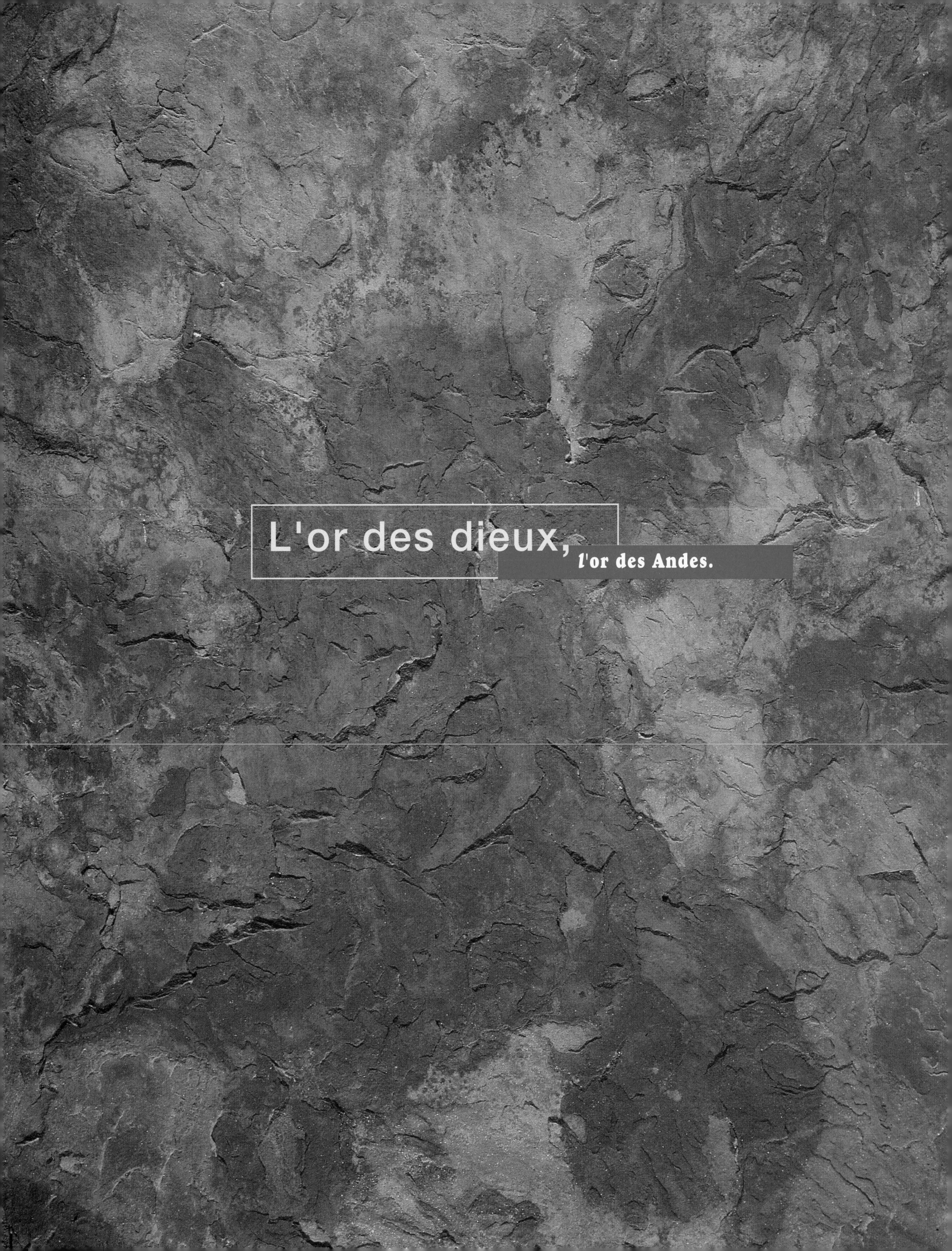

L'or des dieux, *l'or des Andes.*

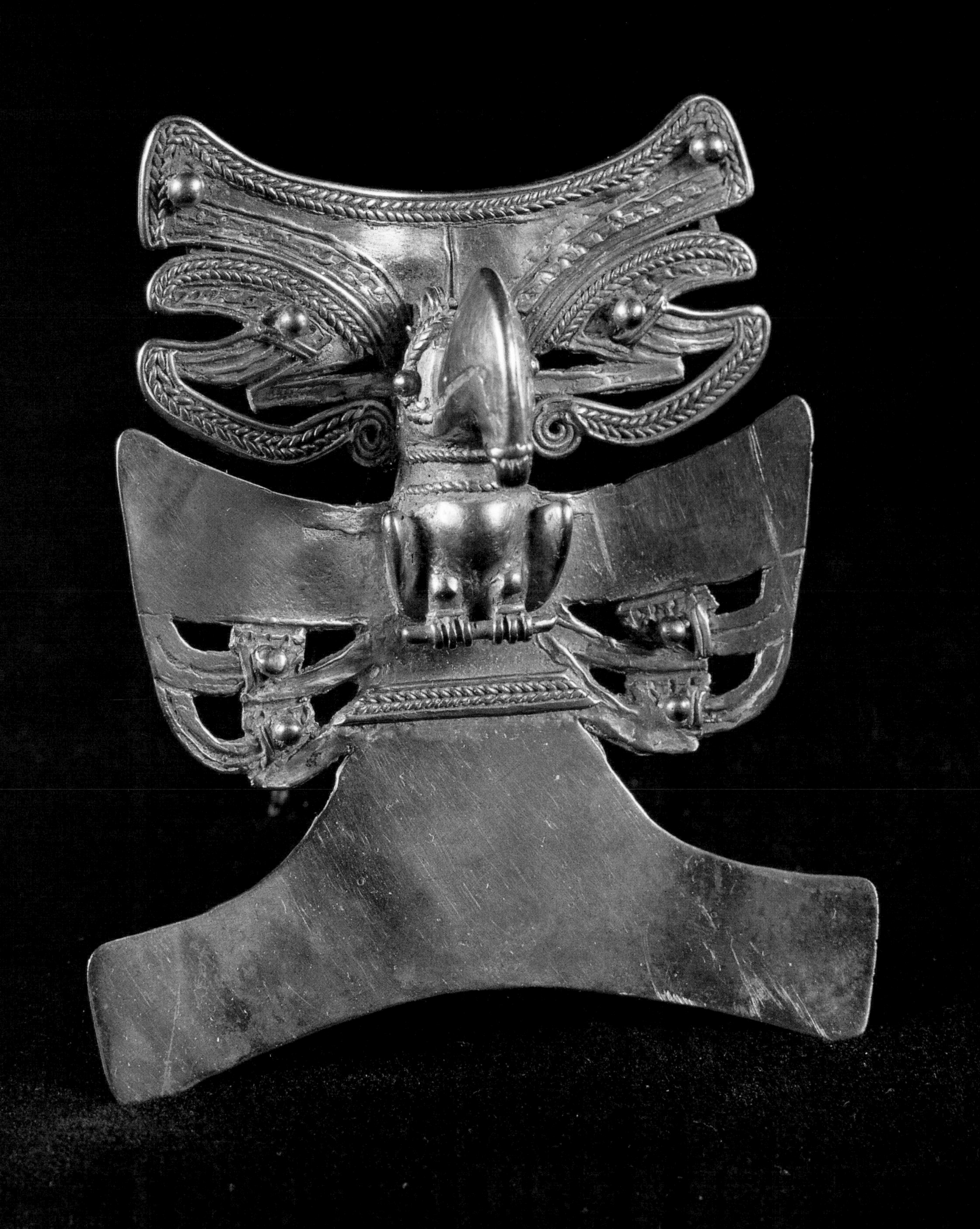

Avec le déclin de l'empire romain,

les réserves d'or de l'empire se concentrèrent, à la faveur de la prédominance de Byzance, en Orient.
Alors que l'Europe occidentale souffrait de la raréfaction des gisements , l'empire byzantin ainsi que le monde arabe continuaient à émettre des monnaies d'or. Ce phénomène contribua à appauvrir les royaumes chrétiens d'Occident et le commerce maritime méditerranéen, en particulier italien, éprouva d'énormes difficultés à inverser cette tendance.
Lorsqu'au XVIème siècle, après la conquête du Mexique, les conquistadores espagnols se lancèrent à l'assaut des territoires andins, ils ne se doutaient pas de l'immensité des richesses qu'ils allaient découvrir. Le pillage des trésors de l'ancienne capitale aztèque avait excité l'imagination des Européens ou provoqué l'admiration de grands artistes de l'époque, tel Dürer, émerveillé par la finesse et la qualité des oeuvres envoyées en Europe. La quête des métaux précieux était donc devenue l'obsession de tous les aventuriers qui partaient pour le Nouveau Monde.

C'est dans ce contexte que la découverte de l'Amérique et des trésors des civilisations indigènes permit d'asseoir la suprématie politique et économique de la chrétienté hispanique. A titre de comparaison, au XVIème siècle, les nations européennes produisaient 75 kg d'or par an, alors qu'on estime à 200 tonnes la quantité d'or ramenée en Espagne par les Conquistadores entre 1521 et 1660.
A l'arrivée des Espagnols, une grande partie des Andes était soumise aux Incas. Peuple de montagnards issu de la région de Cuzco, ils avaient constitué un empire, en moins de deux siècles, dont le territoire s'étendait depuis le centre du Chili, au sud, jusqu'aux contrées méridionales de la Colombie, au nord. Si l'on connaît généralement l'histoire des Andes à travers la civilisation inca, celle-ci ne constituait en réalité que l'aboutissement d'un long processus d'évolution culturelle entamé au cours des deux millénaires précédents. A partir de 1500 avant notre ère, au Pérou, en Equateur et en Colombie, diverses civilisations se succédèrent, léguant tour à tour des traits culturels spécifiques qui constituèrent un patrimoine commun, parfois différemment transcrit au sein de particularismes régionaux. Un des aspects les plus significatifs de cet héritage andin est l'extraordinaire développement du travail des métaux tels que le cuivre, l'or ou l'argent.

Pendentif en forme d'oiseau, culture Tairona - Colombie
Musée de l'or, Bogota - 600 - 1560 ap. J.-C. - H : 7.6 cm, L : 6.3 cm.

L'essor de l'orfèvrerie et la grande quantité d'objets découverts permettent d'illustrer, dans le temps et l'espace, les principales cultures préhispaniques des Andes centrales et septentrionales depuis 1500 avant notre ère jusqu'à la conquête espagnole. Les régions andines ont en effet donné naissance à l'une des plus importantes traditions métallurgiques du monde.
La métallurgie mexicaine, un phénomène tardif remontant aux environs du VIIème siècle de notre ère, était d'ailleurs, à l'origine, une importation andine en Mésoamérique.
Les peuples préhispaniques attachaient du prix à l'or non en tant que richesse monétaire, mais comme symbole de puissance et de prestige. Seuls les individus appartenant aux élites dirigeantes détenaient des bijoux, des parures ou des objets en or. Le port d'ornements en or était le signe extérieur visible du pouvoir des personnages qui en étaient parés. Il ne s'agissait nullement d'un étalage de richesses mais d'une affirmation du pouvoir.
Cette valorisation emblématique de l'or apparaît clairement dans les sépultures où seuls les dignitaires étaient accompagnés de bijoux en or dans l'Au-delà. La récente découverte, sur la côte nord du Pérou, de la tombe du seigneur de Sipan, en est un exemple particulièrement significatif. La présence d'objets en or témoigne du fait que ces peuples étaient organisés en sociétés complexes et fortement hiérarchisées.
La fonction sociale de l'or impliquait tout naturellement une relation intime des orfèvres avec la classe dirigeante politique ou religieuse.
L'orfèvrerie était un travail de spécialistes qui se consacraient uniquement à cette activité. Le travail des métaux pouvait atteindre une dimension véritablement significative lorsque la société était susceptible d'entretenir des individus qui n'étaient plus indispensables à la production des ressources élémentaires. Grâce à une agriculture intensive, les terres étaient en mesure de nourrir une population sans cesse croissante dont le nombre excéda bientôt celui de la main-d'oeuvre nécessaire aux travaux agricoles. Ce surplus de travailleurs put se consacrer à l'artisanat. Bien qu'appartenant à une société agricole, le métallurgiste était devenu une des rares personnes exemptées des travaux des champs. Le travail des métaux impliquait une somme considérable de connaissances et de techniques acquises à la suite d'un grand nombre d'expériences accumulées au cours des siècles. Les innovations technologiques ne furent pas consignées dans des livres, mais transmises oralement de génération en génération.
Une des qualifications les plus importantes liées au travail des métaux était la parfaite maîtrise du feu. La production céramique, antérieure aux premiers objets en métal, démontre que les potiers préhispaniques des Andes savaient contrôler la chaleur de leurs fours.
Les connaissances acquises dans ce domaine durent

Couteau (tumi) - Musée nationale d'Archéologie, d'Anthropologie et d'Histoire du Pérou. Culture Lambayeque. 700 - 1100 ap. J.C. - H : 32 cm - L : 12 cm

vraisemblablement favoriser le développement de la métallurgie. L'homme apprit à identifier les minéraux, probablement d'abord grâce à leur couleur. Les premiers artisans inventèrent et fabriquèrent les différents outils de travail. La diversité et la complexité des techniques nécessaires à la mise en oeuvre du travail des métaux firent des hommes qui possédaient ces connaissances des artisans au statut social particulier. Le pouvoir de modifier la matière, de transformer une roche sombre en métal brillant, de la rendre liquide ou solide, rigide ou malléable, contribua considérablement à renforcer le prestige des métallurgistes.

A cet aspect emblématique de l'or, au service des élites dirigeantes, était associée une valorisation éminemment rituelle et symbolique du métal. Dans les sociétés préhispaniques, le pouvoir était partagé entre les chefs, souvent hommes de guerre, et les prêtres. Parfois les deux fonctions pouvaient être cumulées par un seul et même individu.
Le profond sentiment de religiosité qui animait les peuples andins et leur étroite relation avec la nature apparaissent dans les différentes manifestations artistiques et tout particulièrement dans l'orfèvrerie. La fonction rituelle de l'or résidait autant dans la matière elle-même que dans les motifs dont étaient ornés les objets, lesquels actualisaient et pérénisaient les mythes.
Si l'éternelle brillance de l'or et son inaltérabilité lui valurent de tout temps et en tout lieu, d'être préféré pour les ornements, certaines civilisations lui vouèrent un véritable culte. Généralement, l'artiste en lui donnant une forme culturellement significative fait passer la matière d'un état profane à un état sacré. Ainsi pour les peuples préhispaniques des Andes, l'or était le symbole même du divin en raison de sa similitude de couleur avec le soleil. "Sueur du soleil", l'or était en rapport direct avec l'astre procréateur. Métal sacré, il était le récepteur de l'énergie créatrice du soleil, astre générateur de vie et principe de fertilité. Symbole de prestige des chefs, personnages privilégiés qui maîtrisaient l'union entre le monde social et le monde surnaturel, l'or était l'offrande religieuse par excellence.
Toutes les cultures andines croient alors au sens symbolique attribué au métal, à son origine sacrée et à sa fonction à la fois emblématique et rituelle. L'or est une offrande qui nourrit le pouvoir bénéfique du soleil. L'éclat de l'or est plus qu'un simple reflet, il contient une énergie qui est transmise aux êtres humains. Dans la chaîne des associations symboliques, l'or est lumière, chaleur, semence et pouvoir. Le concept or-soleil s'intègre dans un système cohérent de croyances qui tentent d'organiser et d'expliquer les relations entre l'homme et l'univers. L'or, métal solaire, exprime la ferveur du dialogue avec le sacré. Toutes les sociétés andines étaient convaincues du caractère divin de l'or. Mais c'était après sa transformation en objet que le métal acquerrait sa plus grande valeur.
Les ornements en or, qui à nos yeux sont avant tout des manifestations artistiques, reflètent un monde symbolique d'une grande complexité dont nous ne possédons pas encore toutes les clefs de lecture. Au-delà des simples formes d'expressions esthétiques, les objets étaient porteurs d'un message. L'orfèvre préhispanique a transcrit dans le métal au moyen d'un art codifié, une riche mythologie caractérisée par une iconographie variée des symboles et de leur combinaison, depuis le réalisme schématique jusqu'à la création d'êtres fantastiques, hybrides contre-nature. Ainsi, par exemple, le lien entre le monde réel et le monde mythique était mis en évidence par des représentations humaines affublées de caractéristiques animales. Les attributs zoomorphes servent alors à la transformation et à l'appropriation des vertus attribuées à l'animal. L'état homme-animal permet d'obtenir le contrôle surnaturel de l'univers par l'acquisition de pouvoirs inexistants chez les humains, par exemple le pouvoir de voler comme les oiseaux. Grâce à ces forces supplémentaires, il est possible de pénétrer dans le monde occulte de la sagesse et de la connaissance. Le caractère sélectif de la faune représentée, sous sa forme la plus figurative ou partiellement par des attributs zoomorphes, s'attache à décrire des grands prédateurs (félins et rapaces), des animaux associés à la mort (chauves-souris, chouettes) ou ceux dont le cycle de vie passe par un stade de métamorphose et de transformation (batraciens, papillons) ou de changement de peau (serpents et crabes de rivière).
L'orfèvrerie préhispanique des Andes exprime de la sorte un ensemble de valeurs liées à une époque et à une région, constituant ainsi un système de communication entre les individus. L'orfèvre fixe dans la matière divine sa conception du monde et sous le métal il est possible de rechercher et parfois de retrouver l'esprit humain qui l'a façonné.
C'est par l'intelligence et le travail de l'homme que l'or des Andes est ainsi devenu l'or des dieux.

1 2
3 4

Le savoir-faire des orfèvres précolombiens force notre admiration. Cependant ces chefs d'oeuvres n'auraient pu exister sans la présence abondante de gisements aurifères dans les Andes.
Lors de la formation de la croûte terrestre, le magma aurifère se détacha du noyau en fusion de la terre et remonta en surface pour se fixer dans les roches devenues aujourd'hui les chaînes andines. Lors de l'érection des montagnes, les filons aurifères se trouvèrent exposés aux intempéries et à l'érosion. Le métal se fragmenta alors en pépites qui se déposèrent ensuite dans le lit des torrents. C'est cet or alluvionnaire qui constitua l'essentiel de la matière première utilisée par les orfèvres précolombiens.

L'extraction

Les orpailleurs remuaient le lit des cours d'eau à l'aide de bâtons. Cette terre était ensuite lavée jusqu'à obtention d'un résidu contenant de l'or, lequel était nettoyé à nouveau dans des récipients plats (généralement en bois, appelés bâtées). On recherchait également l'or accumulé dans les terrasses alluviales en détournant le cours des ruisseaux. La récupération de l'or que l'érosion a arraché aux minerais en place et déposé dans les sables des cours d'eau est appelée orpaillage. Dans certaines régions il existait une exploitation de l'or en filon auquel on accédait en creusant dans la roche des puits verticaux étroits.

La fonte

Le minerai était ensuite pulvérisé dans de grands mortiers de pierre alors que l'or en était séparé par lavage dans des bâtées. Le métal récupéré était fondu dans de petits creusets, généralement en céramique, placés dans des fourneaux en terre-cuite réfractaire. La température nécessaire à la fonte était obtenue en soufflant dans des tubes en roseaux enduits d'argile ou munis d'embouts en terre-cuite. Le chroniqueur péruvien Garcilaso de la Vega explique qu'à l'époque inca, des ouvriers, au nombre de dix ou douze, tournaient autour du feu et l'attisaient en soufflant dans des tubes. Il décrit également des fourneaux en terre cuite à ventilation naturelle (huairas), utilisés dans les régions les plus aérées, qui permettaient d'obtenir des températures dépassant les 1000 °C. A l'issue des opérations de fonte, des petits disques de diamètre variable étaient récupérés au fond des creusets et travaillés par les orfèvres.

La chaîne opératoire permettant d'aboutir à un objet fini comprenait trois phases : la fabrication, la décoration et la finition. Le métal était travaillé comme une matière à la fois solide et liquide, c'est-à-dire à froid et à chaud. Pour façonner les objets et les ornements, les orfèvres précolombiens disposaient d'une palette de techniques extrêmement variées.

L'aspect définitif d'un objet résultait de plusieurs opérations qui parfois pouvaient se compléter.

LES TECHNIQUES DE FABRICATION

Le martelage 1

Les disques issus de la fonte étaient martelés sur une enclume de pierre au moyen de percuteurs en pierre dure ou en fer météorique dur afin d'obtenir une feuille de métal. Cette technique impliquait une bonne connaissance du comportement des métaux. En effet, après un certain nombre de coups, l'or devenait cassant. Pour redonner au métal son homogénéité et sa malléabilité, l'orfèvre réchauffait la feuille d'or puis la refroidissait avant de la marteler à nouveau. Cette technique du recuit permettait de travailler le métal sans qu'il se brise. En répétant ces opérations plusieurs fois, l'orfèvre arrivait à obtenir de grandes feuilles d'or qui se prêtaient facilement à la fabrication d'objets de dimensions importantes (pectoraux, masques funéraires, grands ornements de nez ou de bouche). La combinaison des techniques du martelage et du recuit permettait de durcir le métal tout en lui conservant sa flexibilité.

La mise en forme 2

Cette technique permettait de transformer une pièce métallique plane en un récipient de n'importe quelle forme. Cette opération consistait à relever par martelages successifs la surface de la feuille d'or en s'appuyant sur un support rigide.

L'assemblage 5

Deux techniques étaient utilisées pour l'assemblage.
A froid, les feuilles d'or pré-formées étaient reliées mécaniquement par pliage, entailles, languettes, rivets ou agrafes.
A chaud, l'assemblage pouvait également se faire par l'intermédiaire d'une soudure par fusion, technique qui fut plus spécialement utilisée dans le sud de la Colombie et le nord-ouest de l'Equateur. L'assemblage permettait de réaliser des objets plats comme des masques funéraires ou des pièces en volume telles que des figurines.

Fonte à la cire perdue 6 8

Grâce à cette technique, il était possible de fabriquer des objets aux formes complexes. L'opération consistait, dans un premier temps, à façonner le modèle que l'on souhaitait reproduire dans de la cire d'abeille. Ce procédé permettait d'obtenir un moule sans aspérités. La maquette ainsi réalisée était enduite d'une couche de charbon de bois en poudre mélangé à de l'argile. On prenait soin de laisser une ouverture permettant la coulée ultérieure du métal. Le tout était alors recouvert d'argile humide et chauffé afin de durcir le moule et faire fondre la cire. Des trous d'évent étaient réservés sur le moule au moyen de tiges effilées. Il était en effet indispensable d'empêcher la constitution de poches d'air dans le moule afin que lors de la coulée du métal, celui-ci puisse pénétrer dans les interstices. Lorsque la cire commençait à fondre, les tiges servaient de conduits d'aération. Dès que la cire fondue s'était totalement écoulée sous l'action de la chaleur, on versait le métal liquide dans l'espace intérieur libéré. Une fois le moule refroidi, on le brisait pour en retirer la pièce en or.

Fonte à la cire perdue avec noyau 7

Cette technique permettait de fabriquer des récipients à goulot étroit dont l'utilisation nécessitait un espace libre intérieur comme le montrent les poporos quimbaya ou bien des pièces creuses et ouvertes sur la face postérieure, comme certains pendentifs taïrona.
Un noyau d'argile, façonné à la forme de l'objet désiré, était entièrement recouvert d'une couche homogène de cire d'abeille. Des taquets en bois étaient enfoncés dans le noyau afin de le maintenir pendant le moulage. La couche de cire était recouverte d'une enveloppe d'argile qui constituait le moule extérieur. Sous l'action de la chaleur, la cire s'écoulait tandis que le noyau central était maintenu par les taquets. Dans l'espace ainsi libéré par la cire, on coulait le métal en fusion. L'enveloppe extérieure était brisée, les taquets enlevés et les trous laissés par ces taquets étaient rebouchés par des fragments d'or. Les traces de ce colmatage étaient effacées par le polissage. Enfin, on brisait le noyau interne en introduisant un objet pointu par le goulot, ce qui libérait le creux de récipient.

5 6
7 8

Fontes successives

Cette technique permettait d'obtenir des objets de différentes colorations. On fondait d'abord à la cire perdue la partie de la pièce dont l'or devait être le plus pur. Dans un deuxième temps, on fondait un alliage qui nécessitait une température de fusion moins élevée, afin d'éviter l'altération du métal de la première fonte. Cette opération pouvait être renouvelée plusieurs fois avec des alliages à chaque fois moins riches en or. Il existe de très belles pièces quimbaya (Colombie) élaborées selon ce procédé.

Fonte en série 9

La fabrication d'une grande quantité de pièces semblables a conduit, essentiellement en Colombie, les orfèvres à utiliser des matrices en pierre souvent travaillées sur les quatre côtés. Les motifs en haut-relief étaient sculptés dans des pierres tendres. Le décor était imprimé sur de l'argile que l'on laissait sécher. L'impression ainsi obtenue était tapissée de cire d'abeille sur laquelle on venait réimprimer le même motif afin de posséder un modèle en cire à deux faces. Ce modèle, fabriqué en série, servait au tirage, en métal, du nombre d'exemplaires souhaité.

LES TECHNIQUES DE DECORATION

Le martelage sur "âme" en bois 3

La feuille de métal était martelée sur un modèle en bois sculpté. Par petits coups successifs le motif en relief de l'âme s'imprimait dans le métal.

Le repoussé 4

Sur la feuille d'or obtenue après martelage, on dessinait les contours du motif sélectionné. Une pression était exercée sur la feuille afin de rehausser le décor, puis on travaillait l'autre face. En travaillant alternativement les deux faces de l'objet, on obtenait un résultat d'une grande finesse.

La ciselure

Avec un petit marteau en pierre et différents poinçons tranchants en métal (or, cuivre, tumbaga), l'orfèvre commençait à imprimer la figure en faisant une série de marques imbriquées les unes dans les autres. Puis, à l'aide d'autres poinçons, il uniformisait son tracé afin de gommer l'aspect pointillé de son ébauche.

Le filigrane

Cette technique permettait de réaliser des décors d'une grande variété. L'or était converti en fils de diverses épaisseurs par étirage à froid. Les fils ainsi obtenus étaient ensuite aplatis par martelage, incurvés et soudés en leur faisant adopter la forme désirée.

L'ajour

L'opération consistait à découper dans une feuille d'or, à l'aide d'un marteau en pierre et de ciseaux tranchants en métal, le motif désiré.

L'incrustation

Sur un objet en or des pierres précieuses ou semi-précieuses, des coquillages sont incrustés afin de composer le décor.

LES TECHNIQUES DE FINITION

Elles permettaient de transformer la surface des objets en ajoutant ou en enlevant le métal.

Le polissage

Afin d'obtenir un objet à la surface brillante, on le polissait en le frottant avec de l'eau et un abrasif comme le sable fin.

Le brunissage

En exerçant une pression sur la surface de l'objet avec des outils métalliques, en os ou en pierre, on obtenait une couche extérieure homogène et compacte.

La peinture

Certains objets, comme les masques funéraires de Lambayeque au Pérou, pouvaient être décorés de peinture..

La dorure

Cette technique était destinée à donner aux objets fabriqués dans d'autres métaux ou en alliage, l'aspect de l'or pur. La dorure à la feuille ou par fusion consistait à appliquer une couche d'or sur un objet en cuivre. La dorure par déplétion s'appliquait sur un objet réalisé dans un alliage contenant déjà de l'or, en retirant de la surface le ou les métaux moins nobles.

La dorure à la feuille

Il s'agissait de lier mécaniquement une mince couche d'or malléable à la surface d'un objet fabriqué dans un autre métal tel que le cuivre. La chauffe de l'objet permettait de lier solidement les deux métaux.

La dorure par fusion ou dans un bain

L'or fondu était appliqué sur la surface d'un objet en cuivre. L'objet entièrement en cuivre était plongé dans un bain d'or liquéfié. Cette technique n'était pas très fréquemment utilisée par les orfèvres car elle nécessitait beaucoup d'or et un contrôle précis des alliages et des points de fusion.

La dorure par déplétion

Elle permettait de donner à des objets en alliage or-cuivre (tumbaga) ou or-cuivre-argent, l'aspect de l'or pur. L'opération consistait à enlever le cuivre de la surface de l'objet. Pour ce faire, il suffisait de chauffer la pièce jusqu'à oxydation du revêtement superficiel en cuivre tout en maintenant une température inférieure à celle du point de fusion des métaux, afin de ne pas déformer l'objet. Une fois oxydé, le cuivre formait une pellicule noire que l'on pouvait facilement enlever en plongeant l'objet dans une solution acide décapante à base de plantes. La surface nettoyée restait couverte d'une couche d'or qui s'épaississait progressivement au fur et à mesure que l'on répétait le procédé.
Finalement, en surface ne subsistait que le scintillement de l'or.
Cette technique était en fait à l'opposé de la dorure puisqu'au lieu d'appliquer une couche d'or sur la surface de l'objet, on supprimait une partie de la surface en réduisant la teneur en cuivre de l'alliage. Les objets en tumbaga ont bien souvent trompé l'avidité des conquistadores.

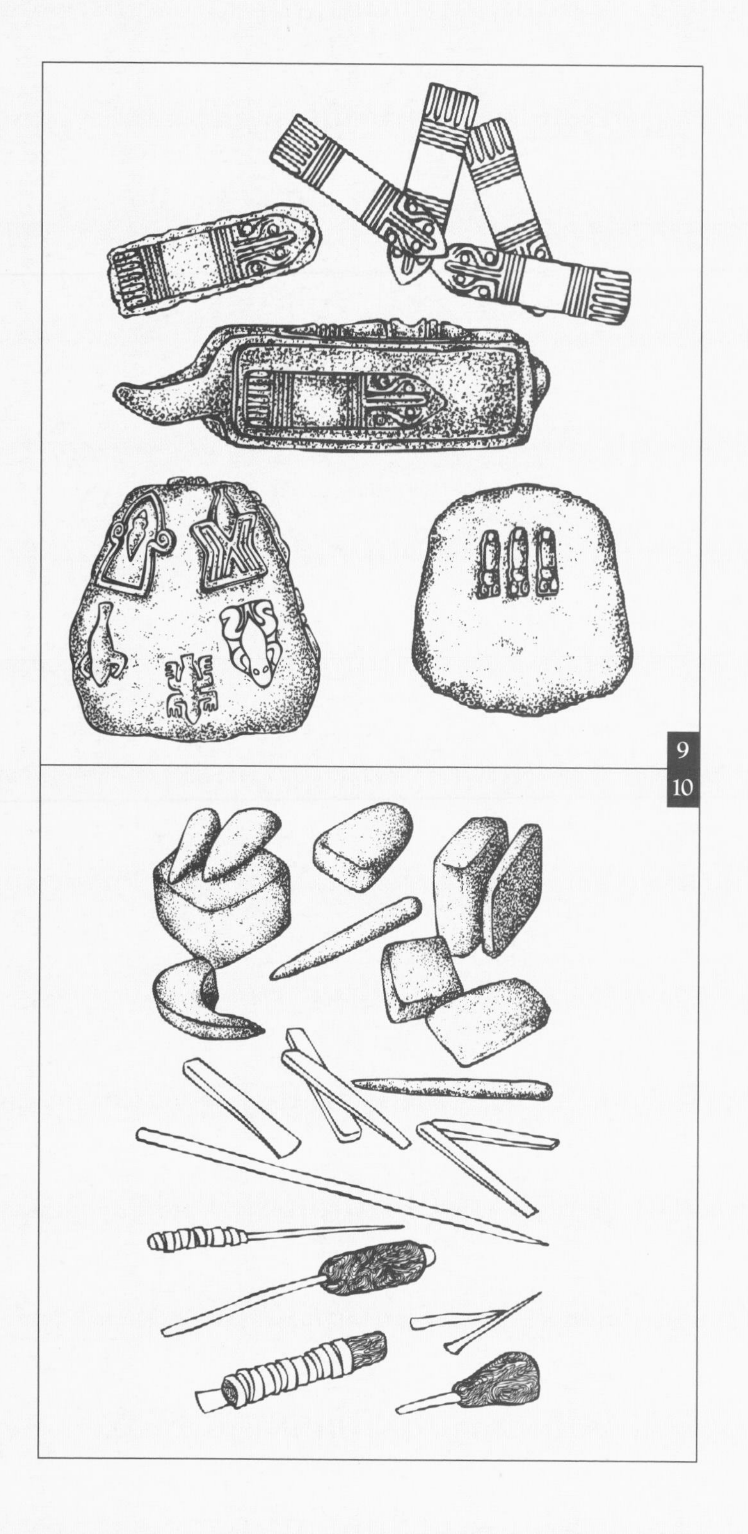

Différentes raisons amenèrent les orfèvres andins à utiliser des alliages d'or et de cuivre. Dans certaines régions, les gisements aurifères étaient rares ou pratiquement inexistants. L'or était alors importé des contrées voisines ou plus lointaines par l'intermédiaire de réseaux d'échanges complexes et variés. La maîtrise des techniques permettait de donner à un objet en alliage l'apparence de l'or pur en économisant le précieux métal afin de fabriquer plus d'objets.
L'abondance d'objets en *tumbaga* répondait à d'autres raisons plus technologiques. Le mélange or-cuivre permettait d'abaisser les points de fusion des deux métaux à une température d'environ 800° C, facteur important pour fondre un grand nombre de pièces. La recherche de la dureté du métal était aussi un facteur essentiel. Lorsque l'on martelait le *tumbaga*, celui-ci pouvait avoir une dureté presque équivalente à celle du bronze. De plus, cet alliage convenait au conditionnement en feuilles car le durcissement obtenu au martelage ne lui ôtait cependant pas ses qualités de flexibilité. Il permettait également de réaliser de bonnes soudures. Toutes ces qualités, auxquelles s'ajoutait son extraordinaire ressemblance avec l'or pur, expliquent l'importance du *tumbaga*, malgré sa teneur élevée en cuivre, dans la métallurgie des Andes préhispaniques.
Les orfèvres préhispaniques équatoriens parvinrent même à un degré technique inconnu des nations européennes de l'époque. En effet, ils surent travailler le platine en l'alliant à l'or. Après avoir mélangé des grains de platine à de l'or, ils chauffaient l'ensemble jusqu'à fusion de l'or, parvenant ainsi à lier les particules de platine en une masse compacte. Puis ils martelaient et réchauffaient le mélange à plusieurs reprises jusqu'à ce que la masse fut homogène, comme si les deux métaux eussent été fondus simultanément.

Jusqu'à l'arrivée des Espagnols au XVIème siècle, l'orfèvrerie était une industrie majeure dans les Andes. Ce sont les incroyables monceaux d'or récupérés dans l'empire inca par les conquistadores qui firent la célébrité du Pérou. Lors de la conquête des pays andins, les Européens furent déroutés par l'absence de fonction économique de l'or en cette région du monde. Les Espagnols s'approprièrent par la force et le pillage d'inestimables trésors mais en négligèrent leur valeur artistique et en firent fondre la quasi totalité. Ceci explique le faible nombre de pièces d'orfèvrerie inca parvenu jusqu'à nous. En fait, les oeuvres que nous pouvons aujourd'hui admirer au sein de l'exposition "L'Or des Dieux, l'Or des Andes", témoignent du travail minutieux de l'or par les orfèvres des civilisations andines qui ont précédé la période inca.

Pérou

Cecilia BÁKULA

Gabriela SCHWORBEL

Daniel LEVINE

Chronologie

Chavin
1500 av. J.-C. - 400 av. J.-C.

Vicus et Frias
500 av. J.-C. - 500 ap. J.-C.

Paracas
600 av. J.-C. - 300 av. J.-C.

Nasca
300 av. J.-C. - 600 ap. J.-C.

Mochica
200 av. J.-C. - 600 ap. J.-C.

Huari
600 - 1000 ap. J.-C.

Lambayeque-Sican
700 - 1100 ap. J.-C.

Chimu
1000 - 1460 ap. J.-C.

Inca
1200 - 1533 ap. J.-C.

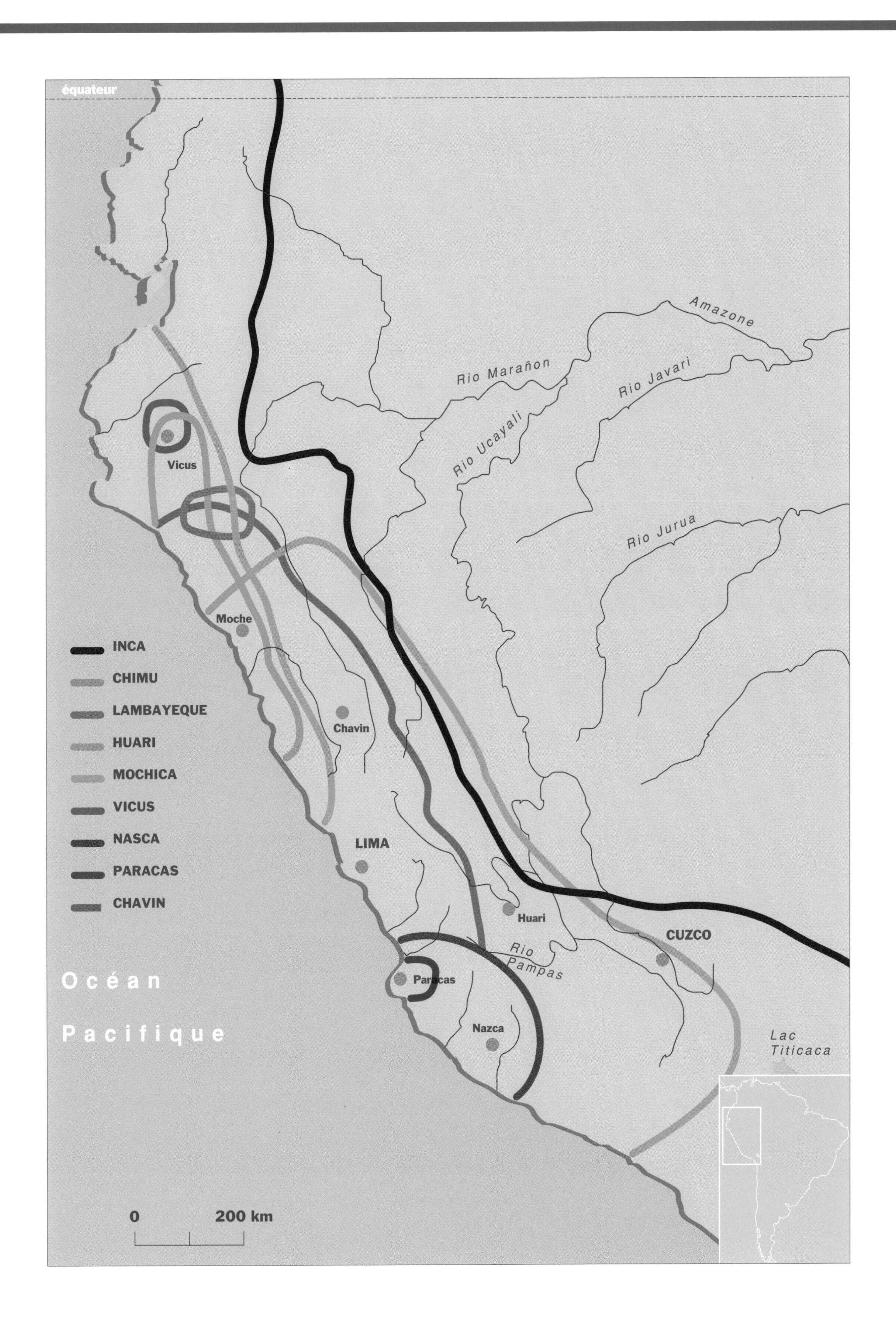
équateur
Amazone
Rio Marañon
Rio Javari
Rio Ucayali
Rio Jurua
Vicus
Moche
Chavin
LIMA
Huari
CUZCO
Rio Pampas
Paracas
Nazca
Lac Titicaca
INCA
CHIMU
LAMBAYEQUE
HUARI
MOCHICA
VICUS
NASCA
PARACAS
CHAVIN
Océan
Pacifique
0
200 km

Culture Lambayeque
Couteau (tumi)
700 - 1100 ap. J.-C.
H : 32 cm, L : 12 cm
Musée national d'Archéologie, d'Anthropologie et d'Histoire.

La métallurgie, comme la céramique,

est un des traits culturels les plus caractéristiques des civilisations de l'ancien Pérou. L'or fut le premier métal découvert et travaillé à partir du IIème millénaire avant notre ère. La richesse en gisements aurifères du territoire péruvien facilita vraisemblablement le développement de l'orfèvrerie. Contrairement à l'ancien monde où l'or avait essentiellement une valeur économique, dans le Pérou préhispanique, ce métal, considéré comme d'essence divine, était principalement utilisé dans un cadre somptuaire ou religieux. Les objets en or affirmaient le prestige social des dignitaires ou étaient des éléments de la vie cérémonielle.
Les collections d'orfèvrerie, conservées ou présentées dans les musées, sont représentatives des civilisations préhispaniques antérieures à celle des Incas. L'avidité et la soif de l'or qui animaient les conquistadores espagnols du XVIème siècle ne laissèrent parvenir jusqu'à nous qu'une infime quantité d'objets en or fabriqués par les artisans du plus grand empire de l'Amérique précolombienne.
L'essentiel du mobilier archéologique en or actuellement disponible provient de l'intense activité de fouilles clandestines réalisées au cours des dernières décennies. Ces objets, ainsi mis au jour, perdent alors une grande partie de leur valeur documentaire. C'est le trésor qui est recherché et exhumé, sans aucune préoccupation d'ordre scientifique. La perte des précieux renseignements que la fouille rigoureuse et méthodologique permet d'enregistrer complique considérablement l'étude des objets. En 1987, la découverte de la tombe du seigneur de Sipan, sur la côte nord du Pérou, par l'archéologue Walter Alva a permis d'immenses progrès dans notre connaissance de la culture Mochica et de son orfèvrerie. Pour la première fois, il fut possible de fouiller scientifiquement une riche sépulture d'un seigneur Mochica et d'en tirer toutes les informations indispensables à la reconstitution du passé.

Au cours du deuxième millénaire avant notre ère, grâce à l'agriculture intensive, certaines sociétés villageoises passent progressivement d'un stade de vie rurale à celui d'une vie urbaine. Dans les Andes du nord, le centre cérémoniel de Chavin de Huantar constitue la synthèse du processus de développement entamé vers 2500 avant J.-C. avec l'édification des premiers ensembles architecturaux à caractère public ou religieux.

En l'état actuel des connaissances, les plus anciens vestiges archéologiques attestant du travail de l'or au Pérou proviennent des Andes méridionales. Il s'agit de fines feuilles d'or associées à l'outillage nécessaire au travail des feuilles de métal, découvertes à Waywaka, petite localité située à proximité de la ville d'Andahuaylas. Ces objets avaient été déposés en offrandes funéraires dans une sépulture datée de 1500 avant J.-C.

CHAVIN 1500 - 400 avant J.-C.

Chavin

Bandeau de tête - Musée archéologique Rafael Larco Herrera.
1500 - 400 av. J.-C.
H : 18 cm - L : 44 cm.

La culture de Chavin de Huantar fut la première à généraliser l'utilisation de l'or pour fabriquer des ornements richement décorés. Entre 1500 et 400 avant J.-C. la diffusion culturelle de Chavin fut d'une telle ampleur qu'elle a laissé des vestiges depuis les vallées de la côte nord (comme Chicama et Lambayeque) jusqu'à la région de Paracas, au sud. La culture Chavin semble avoir été plutôt l'expression d'un phénomène religieux que celui d'un état conquérant désireux d'agrandir sans cesse son territoire. Son style révèle un monde symbolique complexe dominé par les représentations de félins, de sauriens (caïmans), de serpents et de rapaces, combinées avec des aspects humains, sculptées dans la pierre ou modelées dans l'argile. La période s'étendant de 800 avant J.-C. à 500 avant J.-C. marque l'apogée de Chavin de Huantar en tant que centre religieux de premier plan. Le site comprend plusieurs constructions en pierre, réaménagées à diverses reprises : des pyramides, un édifice en forme de U où des têtes en pierre sculptées à l'image humaine avec des traits de félin étaient enfoncées comme des clous dans les murs des bâtiments. L'intérieur des bâtiments est parcouru par des galeries étroites et obscures. Dans l'un de ces labyrinthes se dresse une grande idole de granit, appelée Lanzon, représentant un être mythique combinant les traits humains et zoomorphes. La stèle Raimondi, plus tardive, est une autre sculpture célèbre de Chavin. Elle représente un personnage, toujours affublé d'attributs zoomorphes et tenant dans chaque main un bâton. Cette image du "dieu aux bâtons" sera à l'origine, plusieurs siècles plus tard, d'une des divinités constituant le panthéon du grand centre cérémoniel de Tiahuanaco, dans les Andes méridionales.
La production céramique est caractérisée par les vases à anse en forme d'étrier, monochromes, au décor foisonnant incisé ou réalisé selon la technique du "champlevé". L'architecture et la décoration de centres cérémoniels côtiers comme Cerro Blanco, Moxeque et Garagay, reflètent la forte influence du style Chavin. Sur la côte nord, le style Cupisnique apparaît comme une manifestation artistique ayant gardé une forte personnalité régionale de l'influence de Chavin. Au sud, les débuts de la culture Paracas furent marqués par le style Chavin, comme en témoignent certains motifs décoratifs présents sur les céramiques ou les linceuls.
Dans le domaine de l'orfèvrerie, ce sont des sites de la côte nord qui livrèrent le plus d'objets en or de style Chavin. Il s'agit d'éléments de parure (pendentifs, pectoraux, couronnes, ornements de nez et d'oreilles, plaques, plumes de coiffe) associés à des sépultures découvertes à Chongoyape (vallée de Lambayeque), à Cerro Corbacho (vallée de Zaña), à Kunturwasi (vallée de Jequetepeque) et différentes tombes des vallées de Jequetepeque et de Zaña. D'autres objets en or de style Chavin proviennent de la vallée de Marañon, sur le versant oriental des Andes, région en relation avec le monde amazonien. Les ornements furent tous élaborés dans des feuilles d'or martelées puis décorées selon les techniques du repoussé, de la ciselure, de l'ajour et parfois assemblées par petits anneaux. Entre 400 et 300 avant notre ère, l'influence de Chavin décline. Le centre est abandonné tandis que dans l'ensemble du pays, des cultures locales font leur apparition avec une expression artistique qui affirme leur particularisme régional.

PARACAS 600 - 300 avant J.-C.

Entre 700 et 600 avant notre ère, sur la côte sud du Pérou, dans la région de Paracas, se développe la culture du même nom, particulièrement célèbre pour le travail des textiles, en laine ou en coton. Ce que nous savons de la culture Paracas repose principalement sur l'étude des grandes nécropoles. Alors que dans le nord les défunts sont généralement déposés allongés dans les tombes, au sud ils reposent accroupis, enveloppés dans de nombreux linceuls somptueusement décorés. La première phase de la culture Paracas est appelée Cavernas, car les momies étaient placées dans des tombes collectives creusées en forme de caverne. Les linceuls sont de grandes pièces de tissu rectangulaires monochromes ou polychromes, ornées de motifs géométriques simples. La deuxième phase, qui débute vers le VIème siècle avant J.-C., est dite Necropolis car les "paquets funéraires" (momies enveloppées) sont rassemblés dans de grandes fosses rectangulaires creusées dans le sol. Les linceuls, ou *mantos*, se distinguent par la richesse de leur décor polychrome et la complexité des motifs. L'élément iconographique dominant est un personnage aux traits de félin. De nombreuses momies présentent des traces évidentes de trépanation. Alors que dans le nord du Pérou, la céramique à anse en forme d'étrier devient le type le plus fréquent, dans le sud c'est une poterie munie de deux becs verseurs reliés par une anse en forme de pont qui se généralise. Dans le nord, les potiers s'expriment essentiellement par le modelage, tandis que dans le sud c'est la peinture qui est privilégiée. Les textiles et les céramiques du sud se caractérisent par leur polychromie. Dans le domaine de l'orfèvrerie, les parures en or découvertes sur les momies (diadèmes, ornements de nez, plumes stylisées, bracelets) sont réalisées dans des feuilles d'or martelées, découpées et décorées au repoussé.

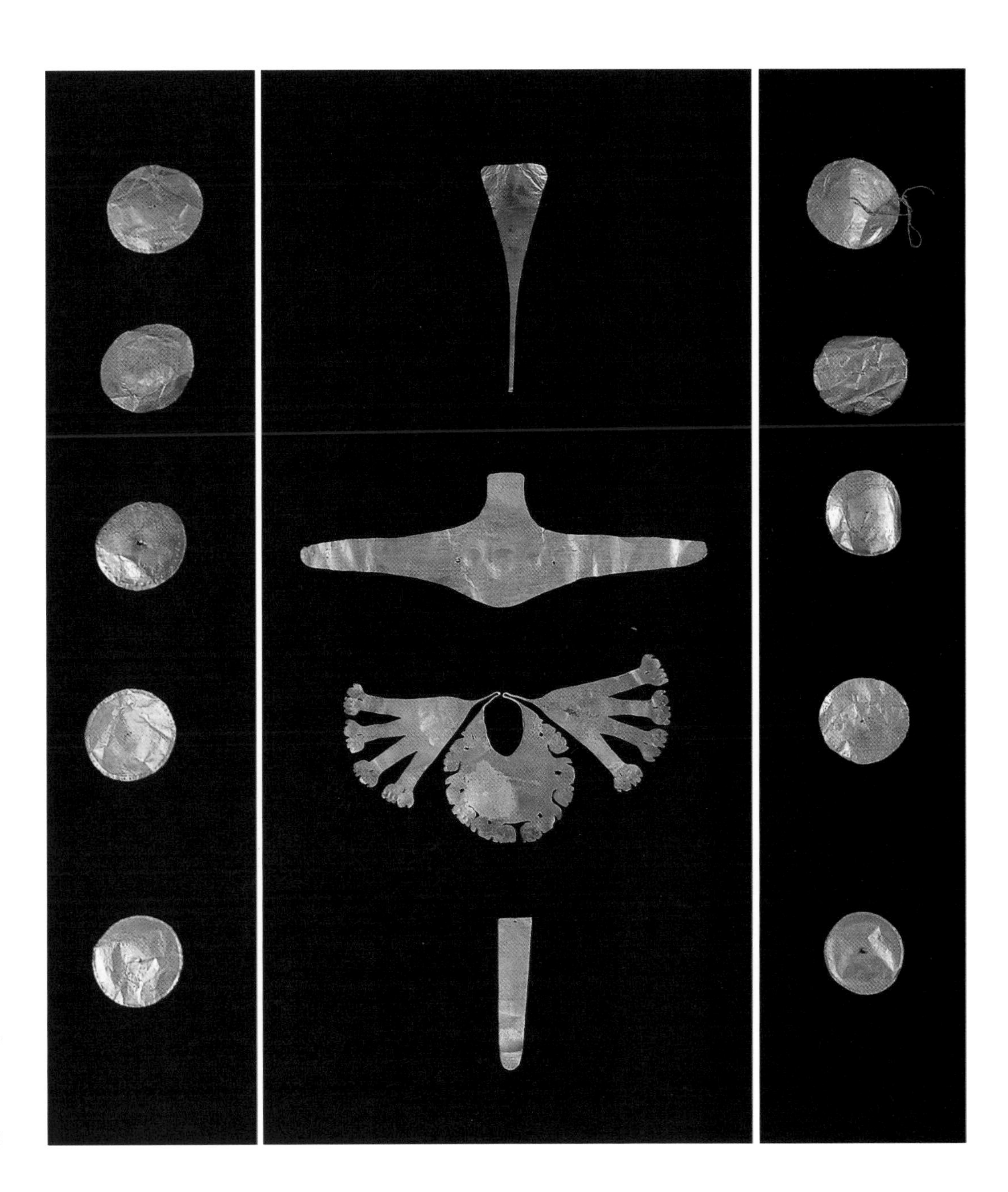

Paracas

Parure de momie :
ornements d'oreilles, plume, ornements de tête et de nez
Musée national d'Archéologie, d'Anthropologie et d'Histoire.
600 - 300 av. J.-C.

Nasca

1- Bol - Musée national d'Archéologie, d'Anthropologie et d'Histoire.
300 av. J.-C. - 600 ap. J.-C.
H : 7 cm - L : 15 cm.

NASCA 300 avant J.-C. - 600 après J.-C.

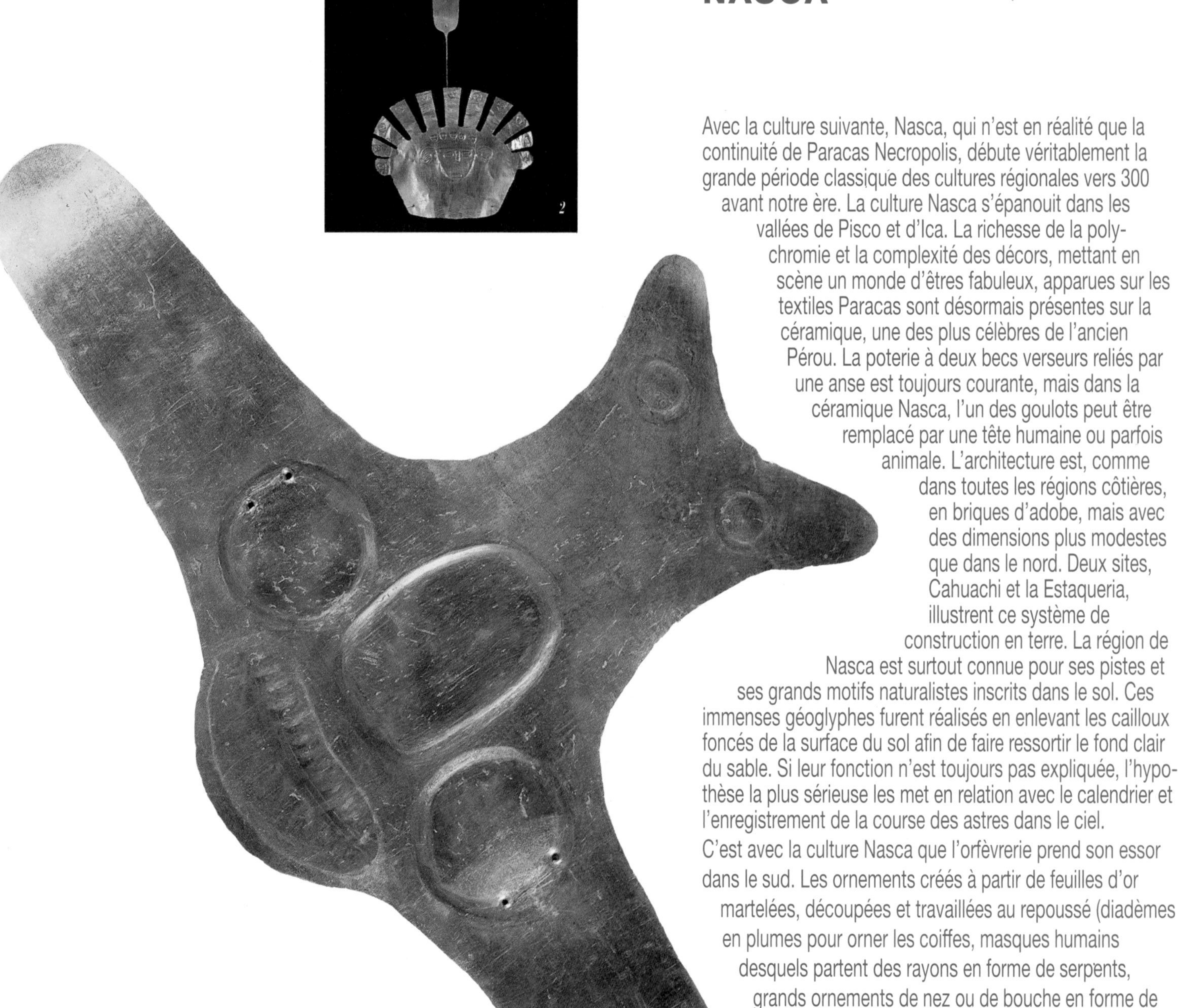

Avec la culture suivante, Nasca, qui n'est en réalité que la continuité de Paracas Necropolis, débute véritablement la grande période classique des cultures régionales vers 300 avant notre ère. La culture Nasca s'épanouit dans les vallées de Pisco et d'Ica. La richesse de la polychromie et la complexité des décors, mettant en scène un monde d'êtres fabuleux, apparues sur les textiles Paracas sont désormais présentes sur la céramique, une des plus célèbres de l'ancien Pérou. La poterie à deux becs verseurs reliés par une anse est toujours courante, mais dans la céramique Nasca, l'un des goulots peut être remplacé par une tête humaine ou parfois animale. L'architecture est, comme dans toutes les régions côtières, en briques d'adobe, mais avec des dimensions plus modestes que dans le nord. Deux sites, Cahuachi et la Estaqueria, illustrent ce système de construction en terre. La région de Nasca est surtout connue pour ses pistes et ses grands motifs naturalistes inscrits dans le sol. Ces immenses géoglyphes furent réalisés en enlevant les cailloux foncés de la surface du sol afin de faire ressortir le fond clair du sable. Si leur fonction n'est toujours pas expliquée, l'hypothèse la plus sérieuse les met en relation avec le calendrier et l'enregistrement de la course des astres dans le ciel.

C'est avec la culture Nasca que l'orfèvrerie prend son essor dans le sud. Les ornements créés à partir de feuilles d'or martelées, découpées et travaillées au repoussé (diadèmes en plumes pour orner les coiffes, masques humains desquels partent des rayons en forme de serpents, grands ornements de nez ou de bouche en forme de moustaches de félin dont les extrémités sont ornées de têtes de serpents) sont très représentatifs de cette culture. Des parures similaires sont portées par des personnages mythiques peints sur les céramiques.

2 - Ornement de coiffe avec plume - Musée national d'Archéologie, d'Anthropologie et d'Histoire.
300 av. J.-C. - 600 ap. J.-C.
H : 19 cm - L : 29 cm.

3 - Bandeau de tête - Musée national d'Archéologie, d'Anthropologie et d'Histoire.
300 av. J.-C. - 600 ap. J.-C.
H : 24 cm - L : 43,8 cm.

4 - Masque funéraire - Banque Wiese.
300 av. J.-C. - 600 ap. J.-C.
H : 21 cm - L : 18 cm.

4

Ornement de coiffe, culture Nasca - Banque Wiese - 300 av. J.-C. - 600 ap. J.-C. - H : 36 cm - L : 24 cm.

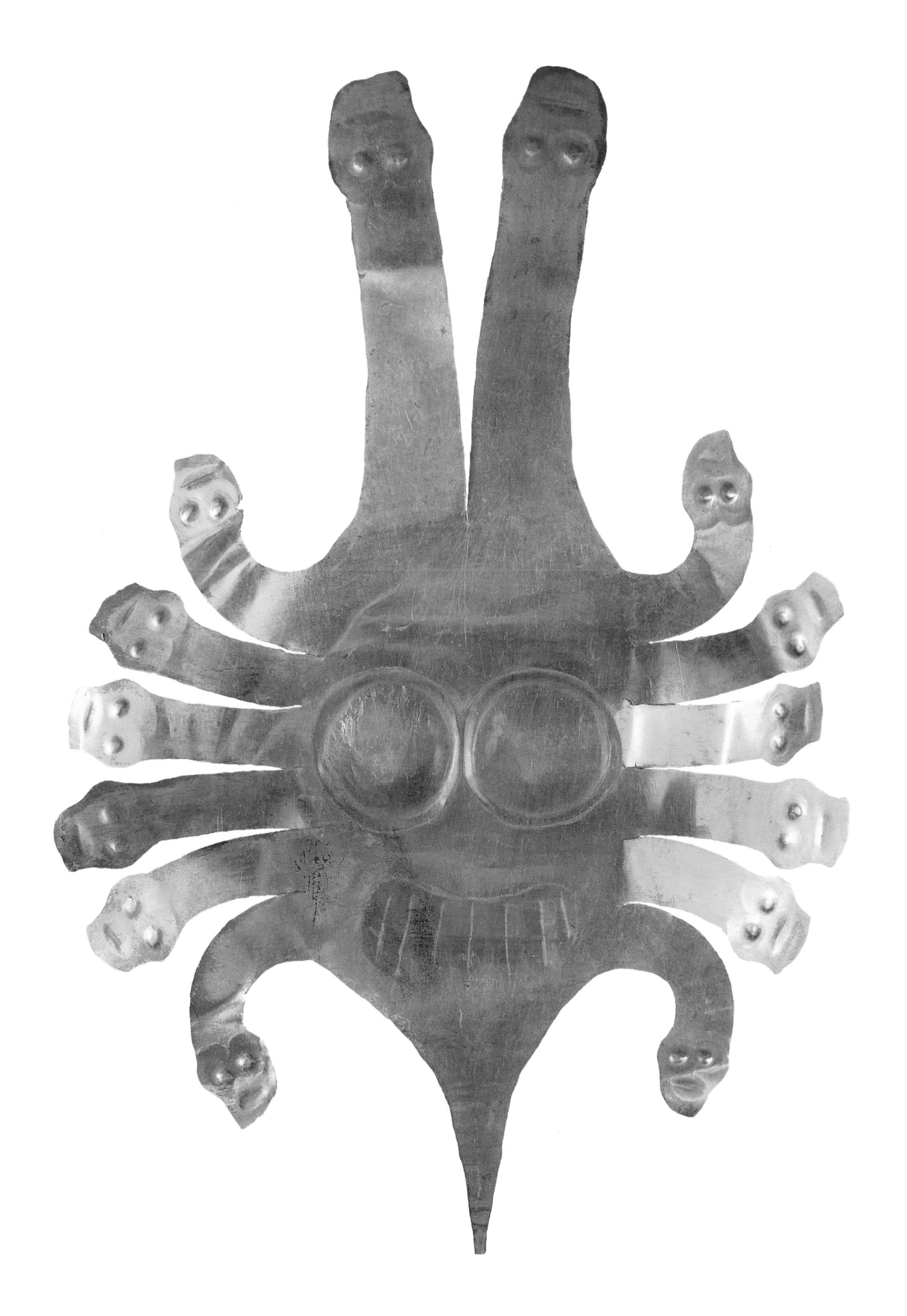

Ornement de coiffe, culture Nasca - Banque Wiese - 300 av. J.-C. - 600 ap. J.-C. - H : 42,3 cm - L : 24,2 cm.

VICUS 500 avant J.-C. - 500 après J.-C.

Vicus

Représentation animale - Banque Wiese.
500 av. J.-C. - 500 ap. J.-C.
H : 4 cm - L : 16,5

Page de droite :
Collier - Musée de la Banque Centrale de Réserve.
500 av. J.-C. - 500 ap. J.-C.
H : 37 cm

Sur la côte nord, vers 500 avant notre ère, on assiste à l'émergence de manifestations culturelles régionales identifiées, à la suite de pillages, entre les années 50 et 60. Ce sont les cultures Frias et Vicus. Leur situation chronologique, encore imprécise, entre 500 avant J.-C. et 500 après J.-C., est dûe au manque d'informations scientifiques concernant ces deux zones archéologiques. C'est la découverte de nombreux objets en or par des pilleurs dans une tombe située prés du village de Frias, dans la région de Piura, qui fit connaître cette culture. L'orfèvrerie de Frias est représentée par des vases, des éléments de parures, des pinces à épiler et des petites statuettes creuses. Toutes ces pièces furent fabriquées dans des feuilles d'or martelées et décorées selon la technique du repoussé. Certaines sont composées de plusieurs éléments assemblés par des agrafes ou soudés. Le décor, à base de motifs réalistes ou stylisés, est parfois complété par des incrustations, des petites pièces accrochées ou des détails en filigrane, comme les yeux des figurines creuses réalisées en fils torsadés et soudés. Quelques pièces possèdent la particularité d'être élaborées avec deux métaux, généralement l'or et l'argent. L'orfèvrerie de Frias présente des influences technologiques et stylistiques en provenance des cultures équatoriennes et l'iconographie suggère des relations avec Vicus et les débuts de la civilisation Mochica.

La culture Vicus a été identifiée dans les années 60 à partir d'objets en céramique et en métal découverts dans des tombes à puits, pouvant atteindre 15 mètres de profondeur, localisées près de Vicus, dans la région de Piura, au nord du Pérou.
La forme la plus caractéristique de la poterie Vicus est celle du double corps. Deux vases sont réunis par une anse et un tube qui permet l'écoulement du liquide entre les deux parties de la céramique. L'un des deux corps est généralement modelé à l'image d'une représentation animale ou humaine. Dans ce dernier cas, le nez est proéminent, les yeux en forme de grains de café, les bras longs et fins et les organes sexuels peuvent être exagérément mis en évidence. Certaines de ces poteries, grâce à un système intérieur de ventilation produisent un sifflement. La décoration, généralement de type géométrique, est réalisée selon la technique de la peinture-négative. Le type de vase à anse en étrier est aussi présent dans la céramique Vicus.
La culture Vicus est également célèbre pour sa production d'orfèvrerie. L'utilisation de deux métaux (l'or et l'argent) et de cuivre doré est fréquente.

Les pièces sont fabriquées dans des feuilles d'or martelées puis, si nécessaire, assemblées avec des agrafes ou soudées. La décoration est faite en repoussé, au filigrane et à l'ajour. Il existe des pièces articulées et d'autres ornées de petites lentilles maintenues par des crochets.
La production comprend des ornements de nez de forme semi-circulaire, des couronnes, des pendentifs, des ceintures, des masques aux traits schématiques et des plaques de cuirasses. Les premières manifestations artistiques de la culture Vicus semblent s'apparenter aux cultures équatoriennes. Dans une deuxième phase, le style Vicus apparaît très influencé par l'art Mochica.

Mochica

Couteau (tumi) orné d'une tête humaine - Banque Wiese.
200 av. J.-C. - 600 ap. J.-C.
H : 15 cm - L : 5,5 cm.

MOCHICA 200 avant J.-C. - 600 après J.-C.

A partir de 200 avant notre ère, dans les vallées de Moche et de Chicama se développe la culture Mochica, une des plus célèbres de l'ancien Pérou. Entre le IIIème et le Vème siècle de notre ère, la civilisation Mochica étend son autorité sur un territoire qui va de la vallée de Jequetepeque, au nord, à celle de Nepeña, au sud. La société, essentiellement paysanne, était dirigée par une puissante classe de guerriers.
Afin d'alimenter une population sans cesse croissante, les Mochicas construisirent d'imposants ouvrages d'irrigation (canaux, reservoirs, acqueducs) qui permirent la culture des sols désertiques. Ils édifièrent de grands centres cérémoniels dont les vestiges les plus connus sont ceux de la Huaca del Sol et de la Huaca de La Luna dans la vallée de Moche. Les deux énormes pyramides à degrés furent construites avec des millions de briques crues. Les édifices Mochica étaient généralement décorés de bas reliefs et de grandes fresques riches en couleurs, comme en témoignent les ruines de Pañamarca ou celles récemment découvertes d'El Brujo. Dans le domaine artistique, les Mochica sont particulièrement célèbres pour leurs poteries et leur orfèvrerie. La céramique, généralement modelée et parfois seulement peinte, constitue une véritable chronique illustrée de la vie quotidienne et des croyances. Alors que sur les fresques la palette des couleurs est étendue, la peinture des céramiques est généralement bicolore, brun sur fond crème.
Les Mochica se distinguent particulièrement dans le travail des métaux (or, argent et cuivre). La découverte récente de la tombe du seigneur de Sipan a permis d'exhumer, pour la première fois dans le cadre d'une fouille scientifique, des trésors d'orfèvrerie. Avec la culture Mochica la métallurgie connaît un essor très important. Les orfèvres Mochica maîtrisaient pratiquement toutes les techniques de fabrication et de décoration.
Ils pratiquaient le martelage à froid et étaient devenus experts dans la technique de la fonte à la cire perdue. Les motifs décoratifs, réalistes ou symboliques, étaient réalisés au repoussé, en filigrane, par modelage sur une âme, en réunissant différents éléments au moyen d'agrafes ou d'une soudure, par ajout de petites lentilles ou en mosaïque de coquillages et de pierres semi-précieuses fixés avec une colle végétale.

Représentation de lama en or et argent - Banque Wiese.
200 av. J.-C. - 600 ap. J.-C.
H : 15 cm - L : 24,3 cm.

Pérou

Mochica

Ornement de front pour coiffe,
Musée archéologique Rafael Larco Herrera.
200 av. J.-C. - 600 ap. J.-C.
H : 24 cm - L : 28 cm.

Ornement de front pour coiffe,
Musée archéologique Rafael Larco Herrera.
200 av. J.-C. - 600 ap. J.-C.
H : 27 cm - L : 29,6 cm.

Ornement d'oreille, culture Mochica - Musée archéologique Rafael Larco Herrera - 200 av. J.-C. - 600 ap. J.-C. - Ø : 9,5 cm.

Ornement d'oreille, culture Mochica - Musée archéologique Rafael Larco Herrera - 200 av. J.-C. - 600 ap. J.-C. - Ø : 9,5 cm.

Mochica

1	2	3
4	5	6
7	8	9

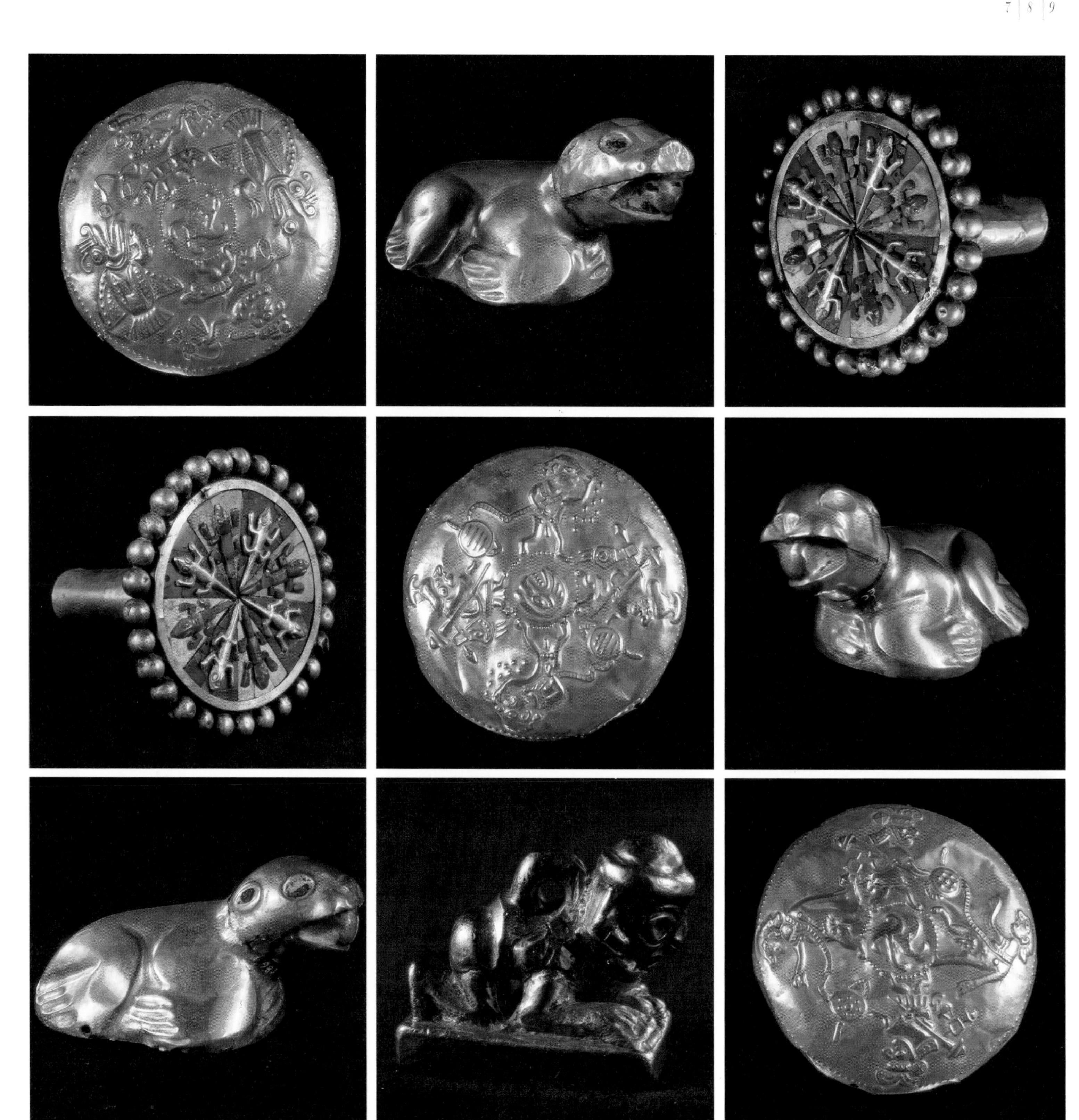

1, 5, 9 - Médaillons,
Musée de la Banque Centrale de Réserve.
200 av. J.-C. - 600 ap. J.-C.
Ø : 8 cm.

2, 6, 7 - Représentations de phoques,
Banque Wiese.
200 av. J.-C. - 600 ap. J.-C.
H : 3,8 cm - L : 3,3 cm (2).
H : 3,8 cm - L : 3,6 cm (6).
H : 3,8 cm - L : 3,4 cm (7).

3,4 - Ornements d'oreilles,
Musée archéologique Rafael Larco Herrera.
200 av. J.-C. - 600 ap. J.-C.
Ø : 8 cm.

8 - Figurine,
Musée archéologique Rafael Larco Herrera.
200 av. J.-C. - 600 ap. J.-C.
H : 2 cm - L : 3 cm.

10 - Pectoral,
Musée archéologique Rafael Larco Herrera.
200 av. J.-C. - 600 ap. J.-C.
H : 21 cm - L : 50 cm.

Diverses techniques de dorure permettaient de donner aux objets l'aspect extérieur de l'or pur. Ces techniques de décoration pouvaient être combinées sur une seule pièce. L'orfèvrerie Mochica se caractérise par l'utilisation combinée ou l'alliage de plusieurs métaux. L'alliage de l'or avec le cuivre ou l'argent a l'avantage de réduire les points de fusion, de rendre les objets plus résistants au refroidissement et d'économiser l'or.
Les objets, provenant tous des tombes de dignitaires, sont des ornements somptuaires qui étaient destinés à affirmer et à rehausser le prestige des personnages de haut rang. Ce sont particulièrement des colliers, des pectoraux, des bracelets, des ornements de nez et d'oreilles, des parures de front, des éléments de coiffe de grande dimension en forme de demi-lune, parfois ornés de représentations animales (chouette, chauve-souris, félin) ou humaines. Des attributs plus guerriers étaient disposés sur la ceinture : il s'agissait de grandes plaques de protection en forme de *tumi* ou de pièces en forme de demi-cercle munies de grelots et à décor anthropomorphe. Il existe également des revêtements de bâtons cérémoniels, des masses d'armes, quelques vases et masques funéraires. Dans l'orfèvrerie Mochica, l'or et l'argent sont souvent associés en une dualité symbolique. L'or est généralement disposé du côté droit et l'argent à gauche. L'ensemble spectaculaire d'objets en or et en argent exhumés de la tombe du seigneur de Sipan semble confirmer cette hypothèse. La grande maîtrise acquise par les Mochica dans le domaine de la métallurgie aura une influence considérable sur les cultures postérieures de la côte nord du Pérou.

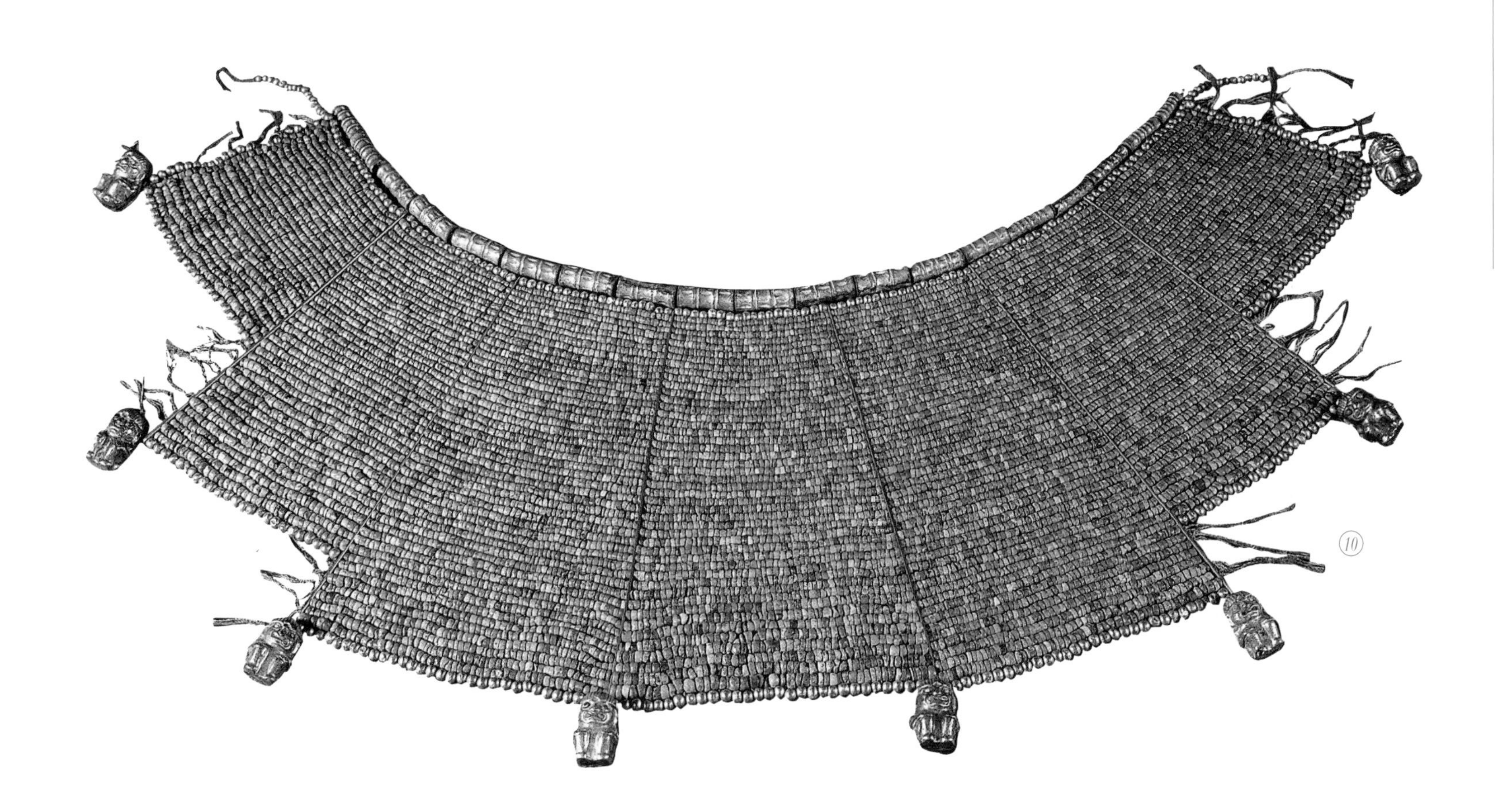
(10)

Ornement de nez,
Musée archéologique Rafael Larco Herrera.
200 av. J.-C. - 600 ap. J.-C.
H : 5 cm - L : 7 cm.

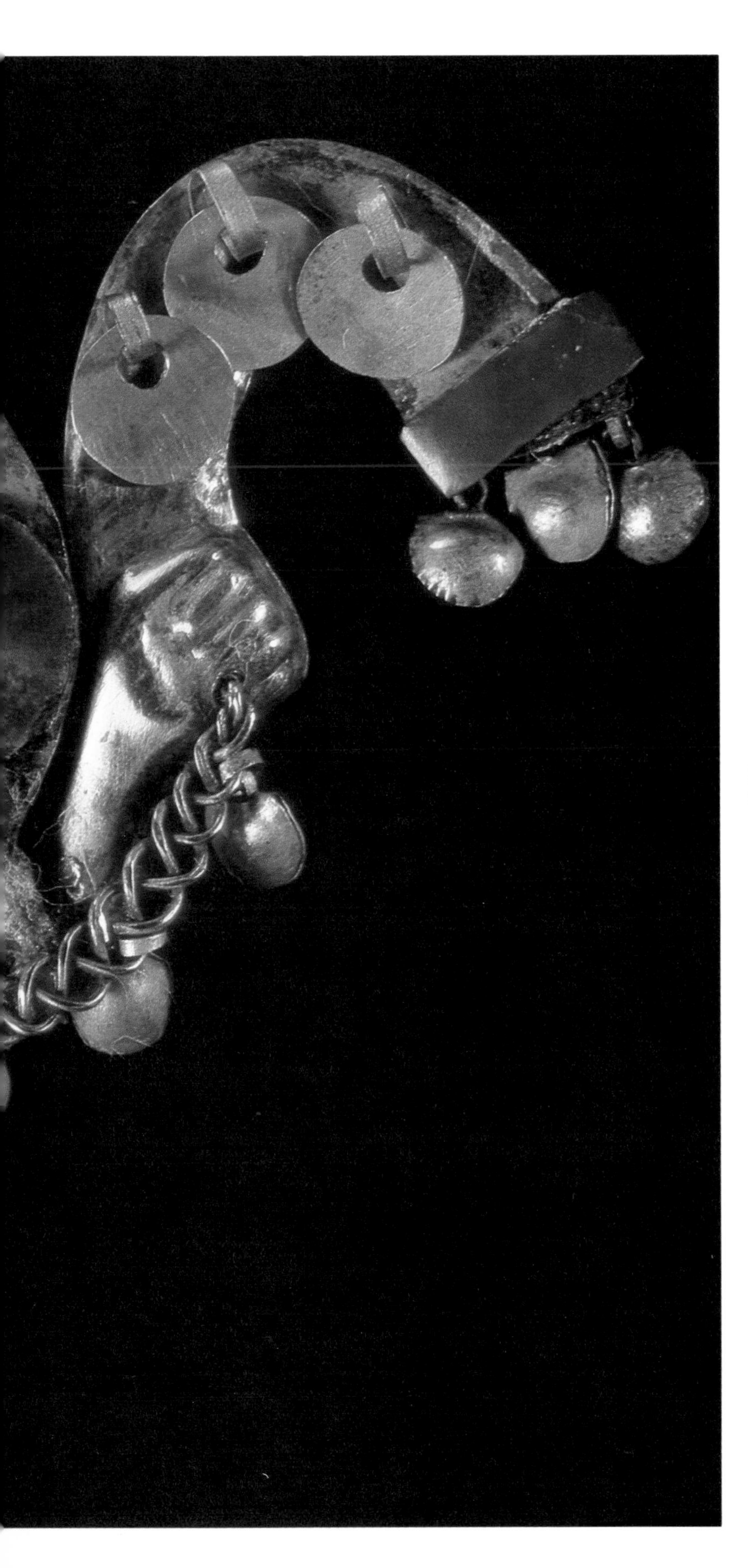

Collier,
Banque Wiese.
200 av. J.-C. - 600 ap. J.-C.
43 x 40 cm.

Pérou

Mochica

Sifflet anthropomorphe,
Musée archéologique Rafael Larco Herrera.
200 av. J.-C. - 600 ap. J.-C.
H : 7,3 cm - L : 4,2 cm.

Représentation humaine,
Musée national d'Archéologie, d'Anthropologie et d'Histoire.
200 av. J.-C. - 600 ap. J.-C.
H : 7 cm - L : 3 cm.

HUARI 600 - 1000 après J.-C.

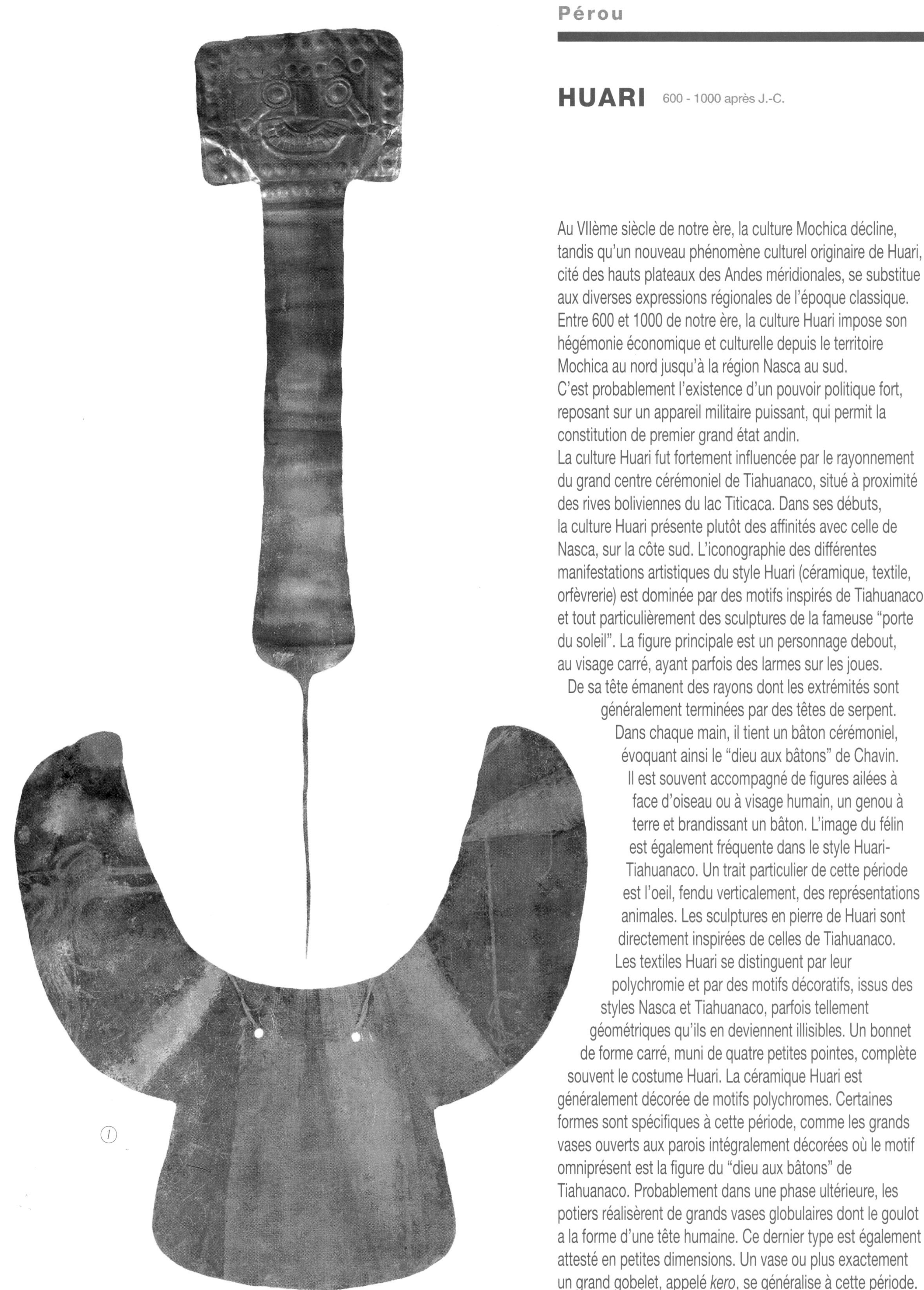

①

Au VIIème siècle de notre ère, la culture Mochica décline, tandis qu'un nouveau phénomène culturel originaire de Huari, cité des hauts plateaux des Andes méridionales, se substitue aux diverses expressions régionales de l'époque classique. Entre 600 et 1000 de notre ère, la culture Huari impose son hégémonie économique et culturelle depuis le territoire Mochica au nord jusqu'à la région Nasca au sud.
C'est probablement l'existence d'un pouvoir politique fort, reposant sur un appareil militaire puissant, qui permit la constitution de premier grand état andin.
La culture Huari fut fortement influencée par le rayonnement du grand centre cérémoniel de Tiahuanaco, situé à proximité des rives boliviennes du lac Titicaca. Dans ses débuts, la culture Huari présente plutôt des affinités avec celle de Nasca, sur la côte sud. L'iconographie des différentes manifestations artistiques du style Huari (céramique, textile, orfèvrerie) est dominée par des motifs inspirés de Tiahuanaco et tout particulièrement des sculptures de la fameuse "porte du soleil". La figure principale est un personnage debout, au visage carré, ayant parfois des larmes sur les joues. De sa tête émanent des rayons dont les extrémités sont généralement terminées par des têtes de serpent. Dans chaque main, il tient un bâton cérémoniel, évoquant ainsi le "dieu aux bâtons" de Chavin. Il est souvent accompagné de figures ailées à face d'oiseau ou à visage humain, un genou à terre et brandissant un bâton. L'image du félin est également fréquente dans le style Huari-Tiahuanaco. Un trait particulier de cette période est l'oeil, fendu verticalement, des représentations animales. Les sculptures en pierre de Huari sont directement inspirées de celles de Tiahuanaco. Les textiles Huari se distinguent par leur polychromie et par des motifs décoratifs, issus des styles Nasca et Tiahuanaco, parfois tellement géométriques qu'ils en deviennent illisibles. Un bonnet de forme carré, muni de quatre petites pointes, complète souvent le costume Huari. La céramique Huari est généralement décorée de motifs polychromes. Certaines formes sont spécifiques à cette période, comme les grands vases ouverts aux parois intégralement décorées où le motif omniprésent est la figure du "dieu aux bâtons" de Tiahuanaco. Probablement dans une phase ultérieure, les potiers réalisèrent de grands vases globulaires dont le goulot a la forme d'une tête humaine. Ce dernier type est également attesté en petites dimensions. Un vase ou plus exactement un grand gobelet, appelé *kero*, se généralise à cette période.

1- Plume et pectoral - Région d'Ancon
Musée national d'Archéologie, d'Anthropologie et d'Histoire.
600. - 1000 ap. J.-C.
Plume. H : 37 cm - L : 8 cm.
Pectoral. H : 21 cm - L : 22 cm.

2 - Bol.
Musée national d'Archéologie, d'Anthropologie et d'Histoire.
600 - 1000 ap. J.-C.
H : 6 cm - L : 11 cm.

3 - Pectoral.
Banque Wiese
600 - 1000 ap. J.-C.
H : 18 cm - L : 40 cm.

2

L'architecture est en pierre dans les Andes et en terre sur la côte. Les sites les plus importants sont Piqui Llacta, Cajamarquilla et le sanctuaire côtier de Pachacamac, prés de Lima, qui restera un centre de pèlerinage important jusqu'à la conquête espagnole.

Dans le domaine de l'orfèvrerie, les pièces de style Huari se reconnaissent essentiellement à partir des motifs décoratifs reproduisant l'iconographie du centre cérémoniel de Tiahuanaco et parfois celle de Nasca. La production est toujours constituée de parures somptuaires destinées aux personnages de haut rang. La plupart des pièces connues indique plutôt une prédilection pour le travail à froid des feuilles d'or et une grande habileté des artisans dans la réalisation de mosaïques de pierres semi-précieuses incrustées. En plus des ornements traditionnels, les orfèvres de l'époque Huari réalisèrent des vases de type *Kero* et des masques funéraires.
Vers l'an mil de notre ère, l'état Huari, qui avait introduit un nouveau concept de vie urbaine, le grand centre entouré de murailles, décline brusquement. L'effondrement du pouvoir politique et économique de Huari permet l'émergence de nouvelles entités régionales mieux organisées qu'à l'époque classique et militairement plus puissantes.
Au cours de cette nouvelle période de fragmentation politique et de résurgence des styles régionaux, le métal est devenu d'usage courant partout, mais la majorité des objets connus provient essentiellement des vallées côtières du nord du Pérou.

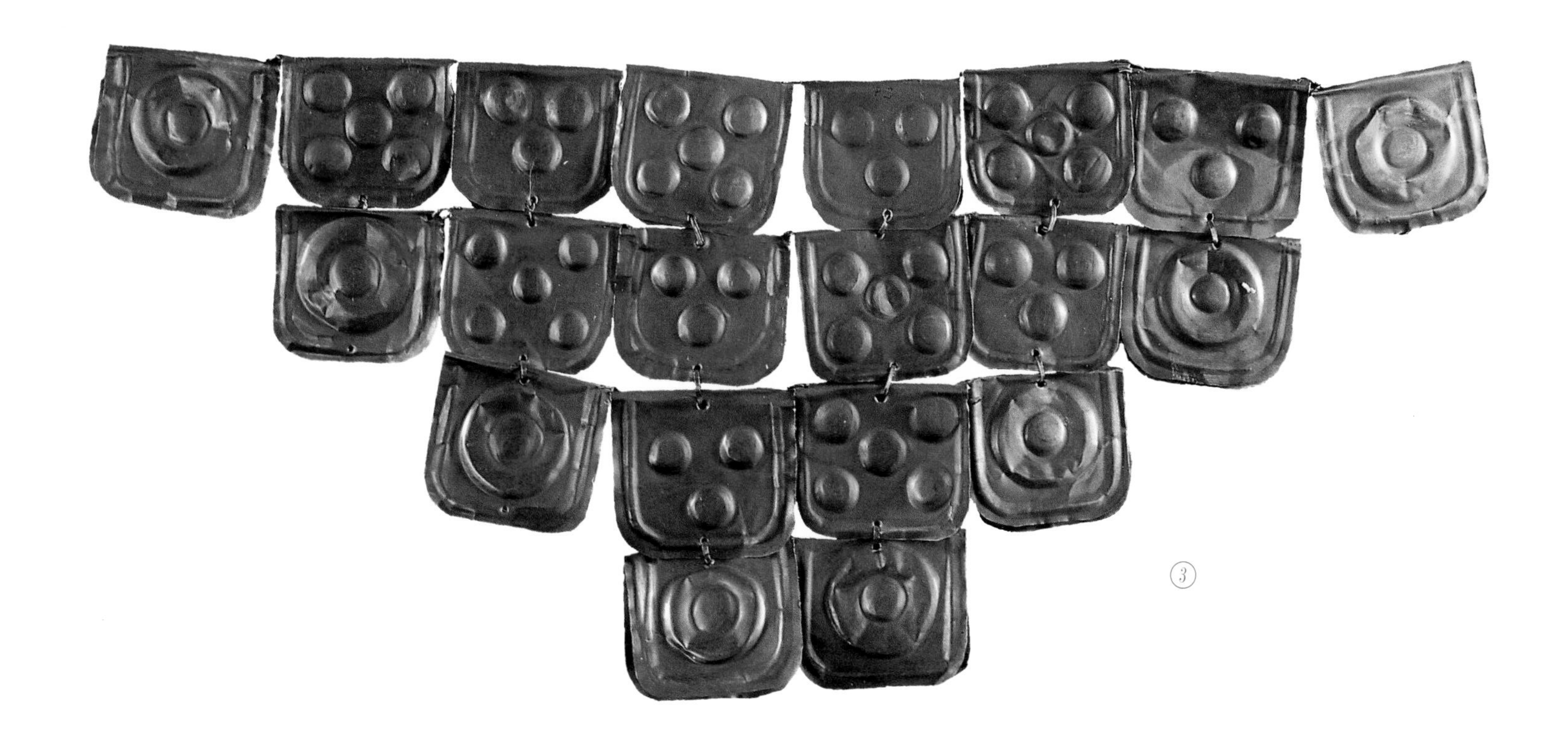

3

Pérou

Huari

Masque funéraire,
Banque Wiese.
600 - 1000 ap. J.-C.
H : 22 cm - L : 21 cm.

Lambayeque

Page de droite :
Couteau (tumi) orné d'une représentation humaine,
Musée de la Banque Centrale de Réserve.
700 - 1100 ap. J.-C.
H : 22 cm - L : 6 cm.

LAMBAYEQUE 700 - 1100 après J.-C.

Sur la côte nord, dans la vallée de Lambayeque, après le déclin des Mochica, se développe vers 700 de notre ère, autour de Batan Grande, une expression régionale, appelée culture Lambayeque ou Sican, dont la caractéristique principale est la production d'orfèvrerie. Influencés par la tradition Mochica et la culture Huari, les artisans de Lambayeque produisirent une quantité impressionnante d'objets en or et en argent qui furent retrouvés dans les sépultures des dignitaires. La région de Lambayeque-Sican reste politiquement indépendante jusqu'au moment de sa conquête par le souverain du puissant état nordique des Chimu, Minchancaman, vers 1420. Selon une tradition locale, recueillie par le chroniqueur espagnol Miguel Cabello Valboa entre 1570 et 1586, la vallée de Lambayeque aurait été occupée par des gens venus en embarcations du nord. Ces hommes étaient dirigés par un chef du nom de Ñaymlap qui, à sa mort, serait monté au ciel grâce à des ailes apparues sur ses bras.

Les pièces actuellement connues proviennent des sépultures royales de Batan Grande et de ses environs. Les objets sont tous fabriqués dans des feuilles d'or martelées puis travaillées et si nécessaire assemblées au moyen de crochets, d'agrafes, de fils ou par soudure.

La technique de la fonte à la cire perdue était surtout utilisée pour la réalisation d'objets en cuivre. Les procédés de décoration les plus fréquents sont le filigrane, la granulation (petites billes en or fixées à chaud), l'incrustation de pierres précieuses ou semi-précieuses et la peinture comme sur les grands masques funéraires recouverts de cinabre. Les alliages binaires (or-argent, or-cuivre) ou ternaires (or, argent, cuivre) sont courants, ainsi que la dorure par déplétion. Si en règle générale, les types d'objets fabriqués sont toujours les mêmes, certains sont spécifiques à l'orfèvrerie Lambayeque-Sican et il existe un style propre à la production de cette zone. Les pièces les plus caractéristiques sont les *tumi* anthropomorphes. La lame du couteau en forme de demi-lune est surmontée d'un manche représentant un personnage debout ou parfois assis, orné d'une grande coiffe en arc de cercle richement décorée, et possédant généralement de petites ailes sur les bras.

Pour certains spécialistes, cette figure serait celle du héros mythique Ñaymlap.

L'ensemble est souvent orné d'incrustations de pierres semi-précieuses.

Les orfèvres de cette région réalisaient de nombreux vases en or et en argent.

Les uns sont des vases-gobelets, appelés *keros*, en forme de tête humaine, souvent inversée. Le décor en relief est obtenu par martelage de la feuille d'or sur une âme en bois. Les autres vases sont des répliques en métal des poteries en terre cuite propres au style Lambayeque-Sican. Les vases, plutôt globulaires, sont équipés de deux becs verseurs inclinés vers l'extérieur et reliés par une anse en arc de cercle à décor crénelé, généralement ornée au centre d'une tête humaine. La base de chaque bec verseur est fréquemment rehaussée d'une représentation de tête d'animal. Le vase repose sur un pied annulaire qui peut être décoré de motifs géométriques. Enfin les grands masques funéraires en feuilles d'or sont particulièrement représentatifs de l'orfèvrerie de la zone. L'art de Lambayeque-Sican se distingue également par certains détails stylistiques. Ainsi, dans le cas de représentations anthropomorphes, la pointe extérieure des yeux en amande est exagérément tournée vers le haut. Cette manifestation culturelle régionale sera supplantée par l'art Chimu qui dominera toute la côte nord du Pérou avant la conquête inca.

Lambayeque

1- Gobelet (kero),
Musée de la Banque Centrale de Réserve.
700 - 1100 ap. J.-C.
H : 14 cm - L : 10 cm.

2- Gobelet (kero),
Musée de la Banque Centrale de Réserve.
700 - 1100 ap. J.-C.
H : 16 cm - L : 13 cm.

3- Gobelet (kero),
Musée de la Banque Centrale de Réserve.
700 - 1100 ap. J.-C.
H : 19 cm - L : 10 cm.

4- Gobelet (kero),
Musée de la Banque Centrale de Réserve.
700 - 1100 ap. J.-C.
H : 19 cm - L : 12 cm.

5- Gobelet (kero),
Musée de la Banque Centrale de Réserve.
700 - 1100 ap. J.-C.
H : 26 cm - L : 18 cm.

2

3

4

5

Pérou

Lambayeque

Masque funéraire,
Banque Wiese.
700 - 1100 ap. J.-C.
H : 29 cm - L : 48 cm.

Masque funéraire,
Banque Wiese.
700 - 1100 ap. J.-C.
H : 20 cm - L : 32 cm.

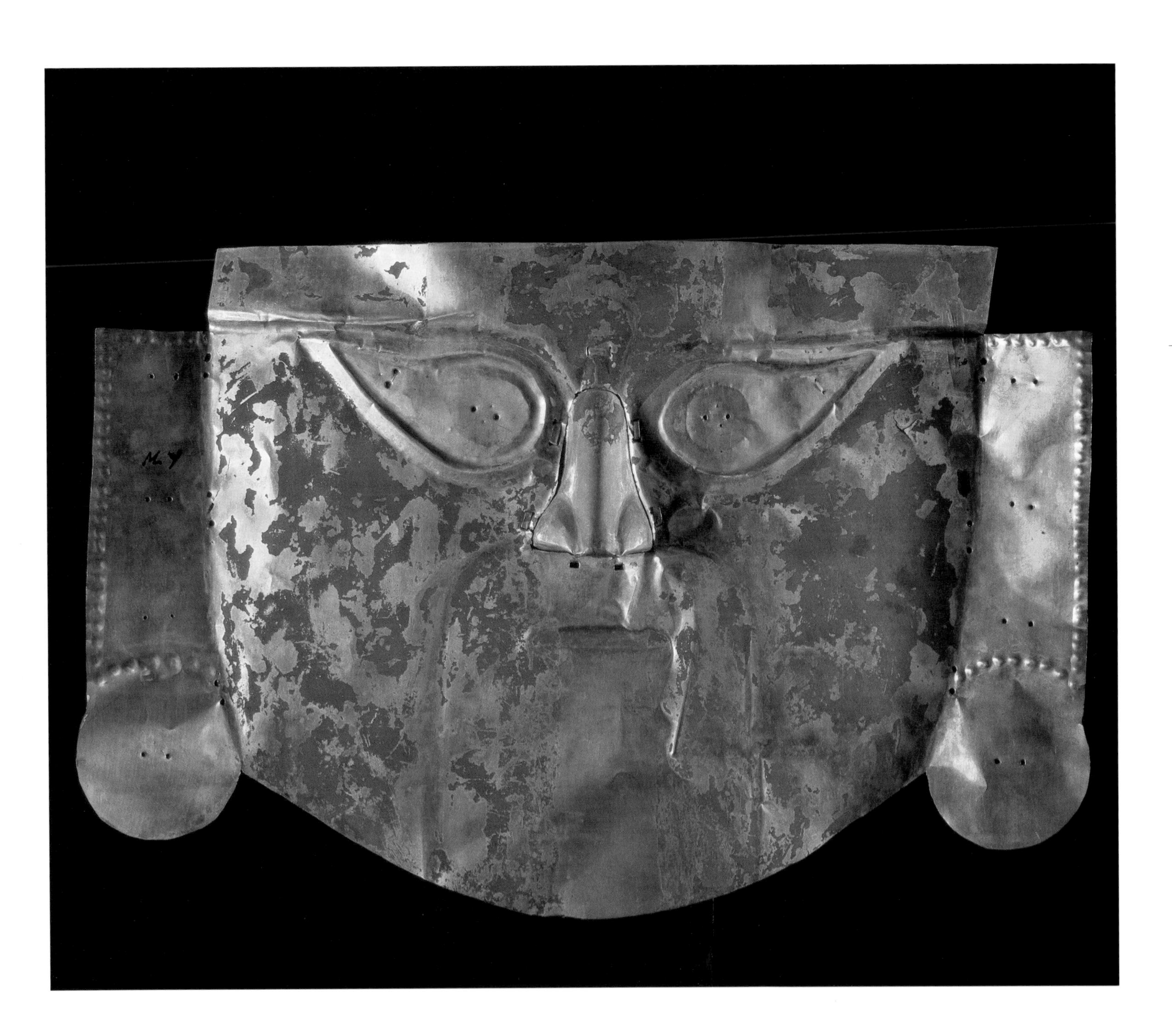

Pérou

Lambayeque

Masque funéraire,
Banque Wiese.
700 - 1100 ap. J.-C.
H : 22,5 cm - L : 37 cm.

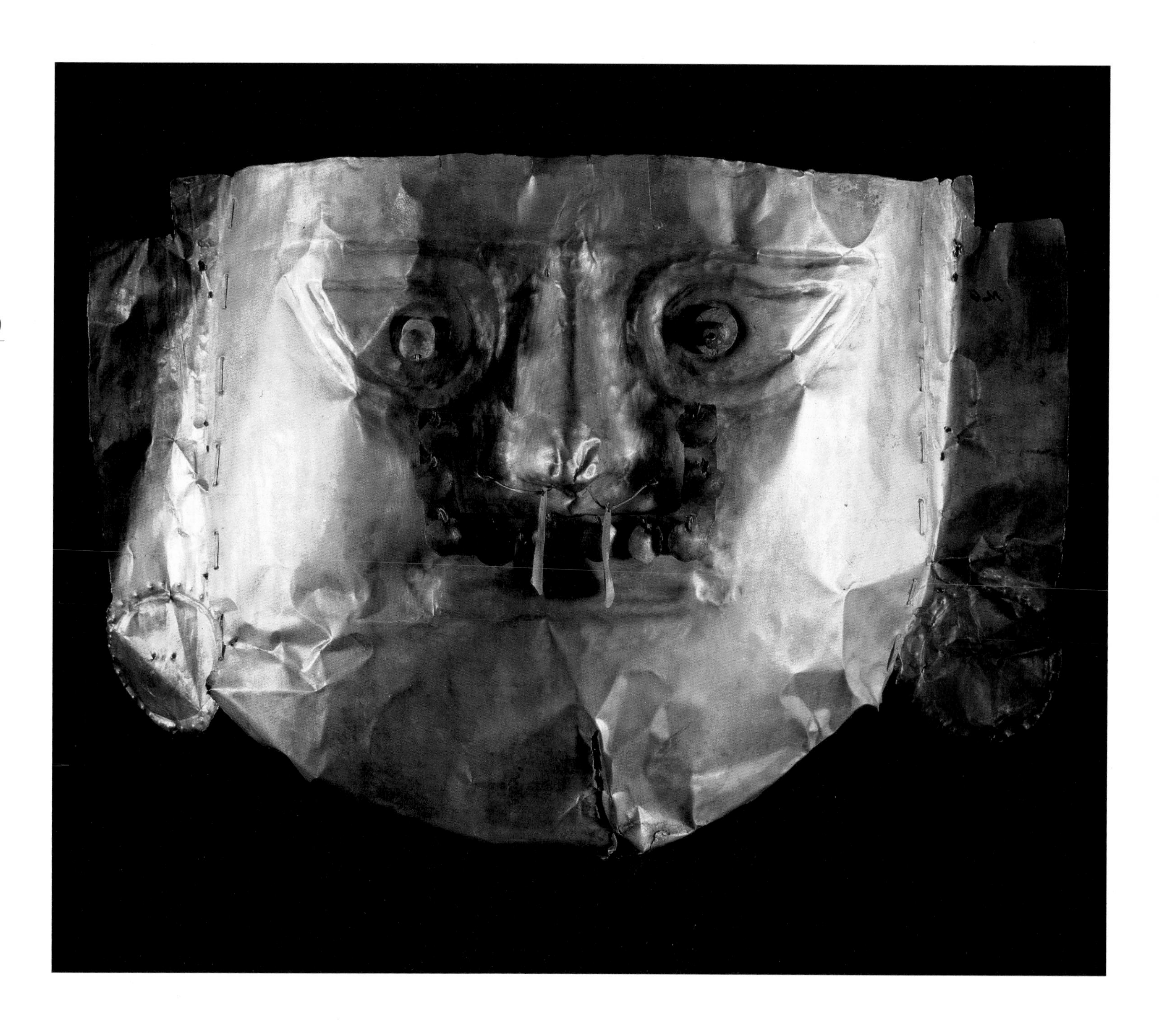

Masque funéraire,
Banque Wiese.
700 - 1100 ap. J.-C.
H : 38 cm - L : 66 cm.

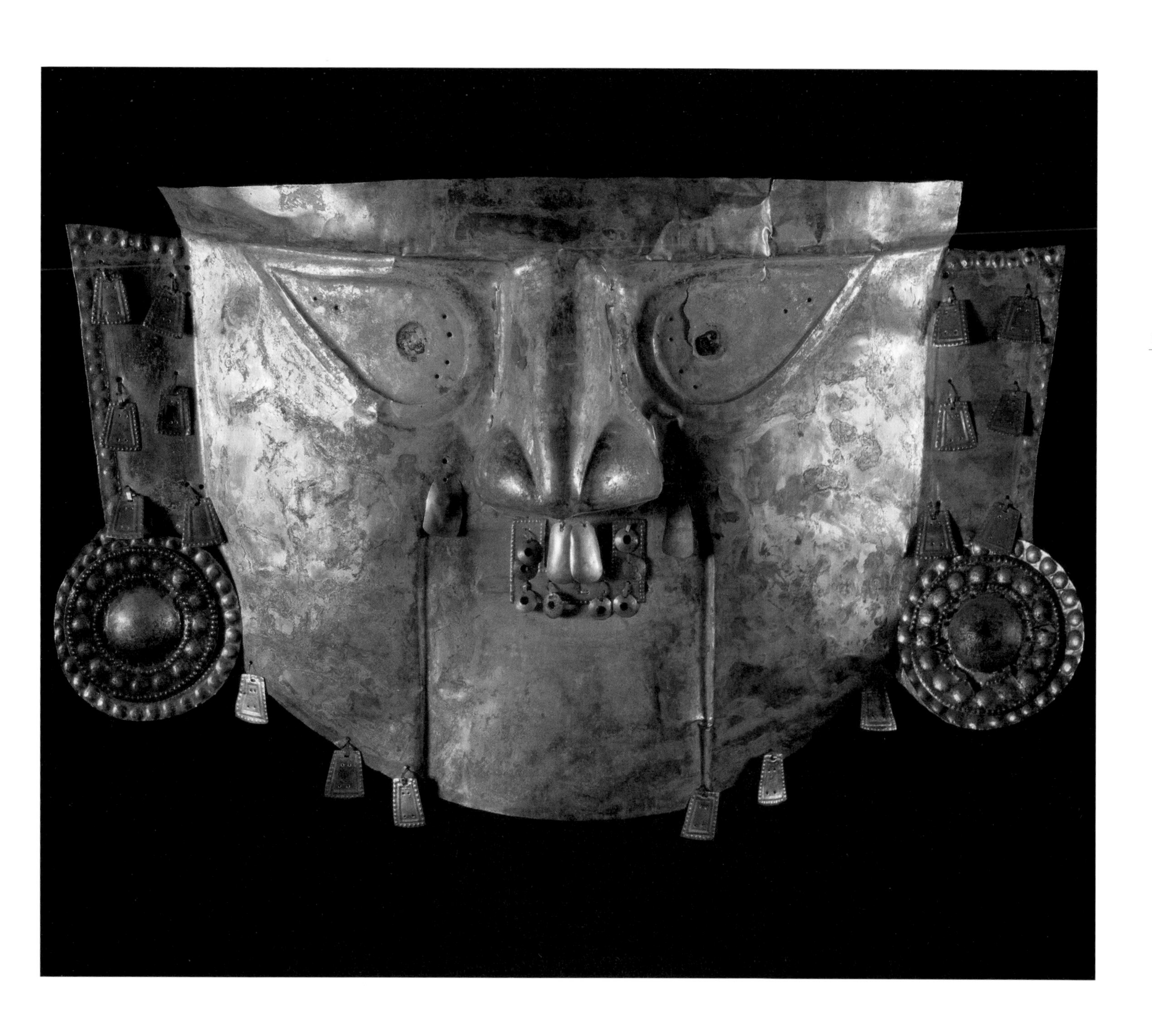

1	2	3
4	5	6

1 à 6- Gobelets (keros), 700 - 1100 ap. J.-C.

1 - H : 22,4 cm - L : 18 cm.
Banque Wiese.

2 - H : 20 cm - L : 12 cm.
Musée de la Banque Centrale de Réserve.

3 - H : 26 cm - L : 18 cm.
Musée de la Banque Centrale de Réserve.

4 - H : 20cm - L : 12 cm.
Musée de la Banque Centrale de Réserve.

5 - H : 15 cm - L : 9 cm.
Banque Wiese.

6 - H : 22 cm - L : 17 cm.
Musée national d'Archéologie,
d'Anthropologie et d'Histoire.

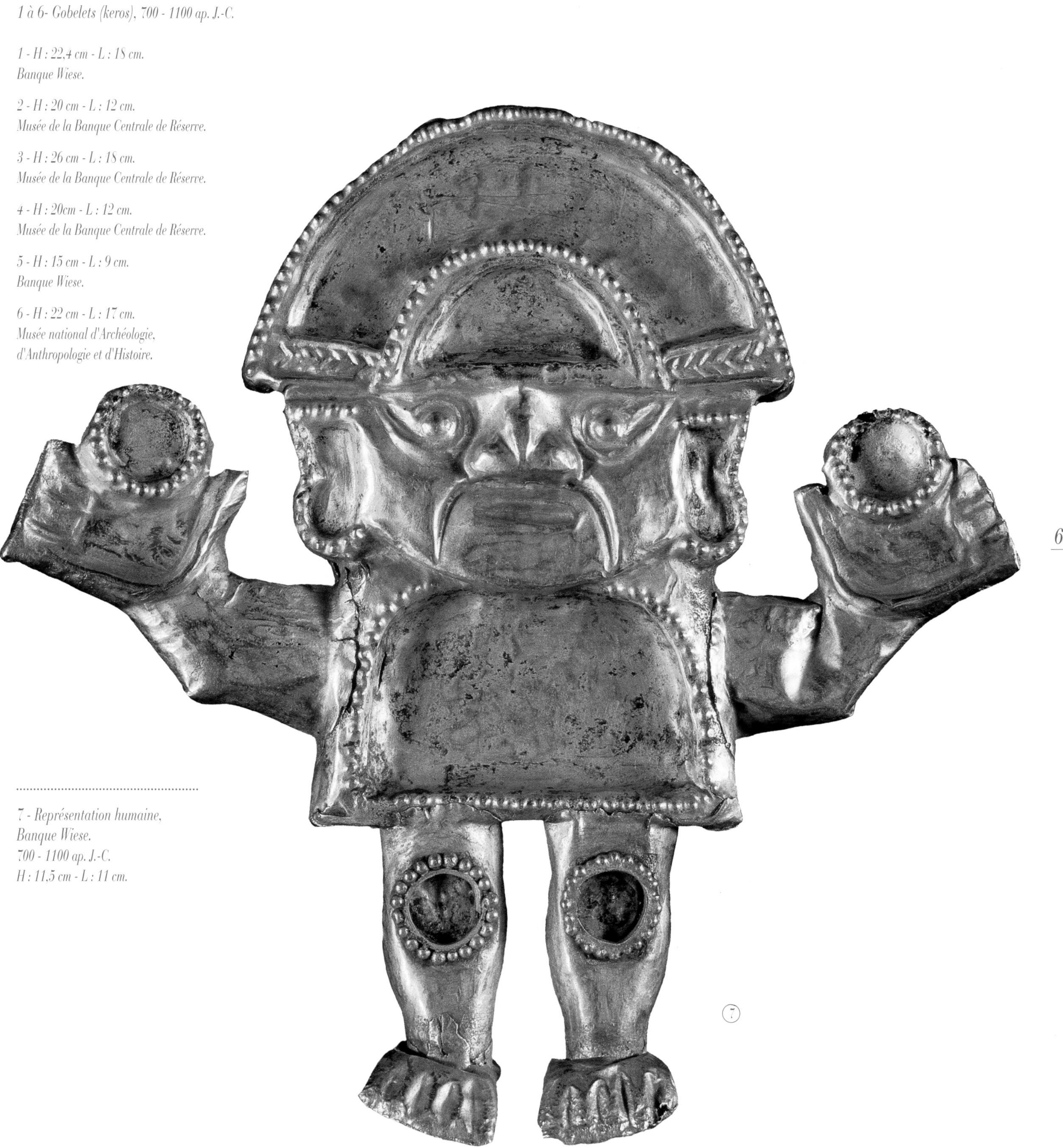

7 - Représentation humaine,
Banque Wiese.
700 - 1100 ap. J.-C.
H : 11,5 cm - L : 11 cm.

Chimu

Page de gauche : pendentif,
Musée national d'Archéologie,
d'Anthropologie et d'Histoire.
1000 - 1460 ap. J.-C.
H : 9 cm - L : 10 cm.

Ornement d'oreille,
Musée National d'Archéologie,
d'Anthropologie et d'Histoire.
1000 - 1460 ap. J.-C.
O : 14 cm.

CHIMU 1000 - 1460 après J.-C.

Après le déclin de l'état Huari, le Pérou entre une nouvelle fois dans une période dominée par les manifestations culturelles régionales. Les nouvelles entités socio-politiques qui se mettent en place sont mieux organisées que lors de la phase régionale précédente et dotées d'un appareil militaire puissant. Parmi celles-ci, la plus remarquable et la plus importante est le royaume Chimu qui étend rapidement son empire sur l'ensemble de la côte nord du Pérou. Dans tous les domaines, l'art de cette période se caractérise par une production de masse.
L'économie du royaume Chimu reposait essentiellement sur l'agriculture, complétée par la pêche, la chasse et le commerce. Pour cultiver les vallées arides du nord, les Chimu construisirent un vaste réseau d'irrigation permettant de contrôler l'utilisation de l'eau. Les agglomérations s'agrandirent et de nouvelles cités furent bâties, comme la capitale Chan Chan, vaste cité de terre dont les vestiges s'étendent sur une superficie de 20 km² à proximité de l'actuelle ville de Trujillo. Le centre de la ville est organisé en neuf ensembles, appelés "citadelles" à cause des grandes murailles de terre qui les délimitent. Chacune comprend des palais et de grandes places aux murs ornés de bas reliefs en argile, des unités d'habitation, des entrepôts, des citernes, des jardins, une aire funéraire, le tout étant connecté par un réseau de rues. A proximité de Chan Chan se dressent encore les ruines d'une pyramide à rampe, la Huaca del Dragon, célèbre pour ses magnifiques bas- reliefs d'argile.
Dans sa grande majorité, la céramique Chimu est noire et occasionnellement brun-rouge. Les formes sont variées et le vase à anse en forme d'étrier, caractéristique des cultures nordiques, est fréquent. Il existe aussi des poteries à plusieurs corps. Fidèle à la tradition céramiste du nord, le décor est modelé (représentations humaines, animales, scènes de la vie quotidienne, plantes, maquettes d'habitat) ou à base de motifs anthropomorphes, zoomorphes et géométriques imprimés sur l'argile. Les représentions de divinités ou d'êtres mythologiques, fréquentes dans l'art Mochica, ont pratiquement disparu.
Les céramiques Chimu possèdent souvent comme élément décoratif un petit singe ou un petit oiseau modelé placé à la jonction de l'anse et du bec verseur. Après la conquête inca, les potiers Chimu produisirent des céramiques aux formes inspirées de l'art du Cuzco.

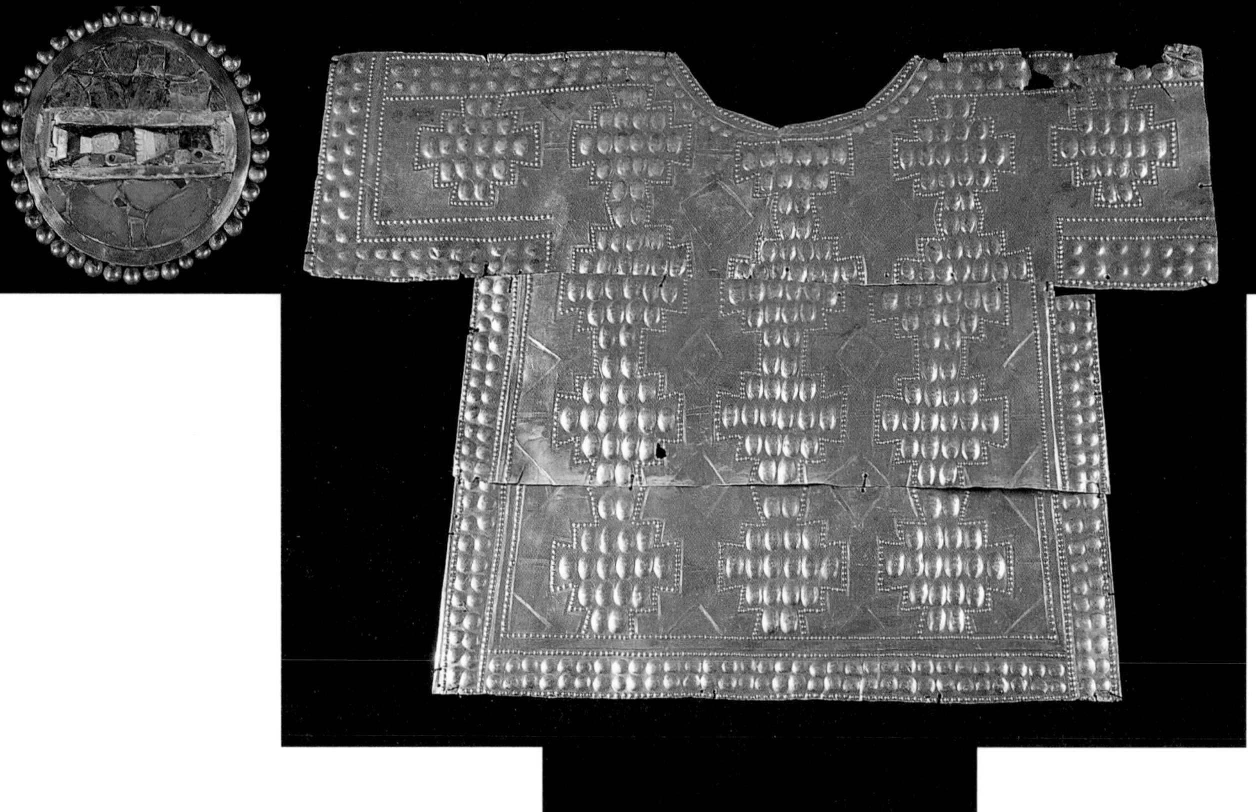

	1	
2	3	4
	5	

1- Collier et ornements d'oreilles, culture Chimu - 1000 - 1460 ap. J.-C. - Musée archéologique Rafael Larco Herrera - L collier : 41 cm - Ø ornements : 12,5 cm.
2, 4 - Ornements d'oreilles, culture Chimu - 1000 - 1460 ap. J.-C. - Banque Wiese - Ø : 9,8 cm.
3 - Tunique, culture Chimu - 1000 - 1460 ap. J.-C. - Musée national d'Archéologie, d'Anthropologie et d'Histoire - H : 43 cm - L : 71 cm.
5 - Gobelet, culture Chimu - 1000 - 1460 ap. J.-C. - Musée archéologique Rafael Larco Herrera - H : 8,2 cm - L : 11,7 cm.

Elément de coiffe, culture Chimu - 1000 - 1460 ap. J.-C. - Banque Wiese - H : 18,6 cm - L : 15,8 cm.

Chimu

Pectoral,
Musée archéologique Rafael Larco Herrera.
1000 - 1460 ap. J.-C.
H : 20 cm - L : 49 cm.

Les artisans Chimu travaillèrent le bois et réalisèrent toutes sortes d'objets (figurines, armes, litières) incrustés de métaux précieux, de coquillages et de pierres. L'art du tissage fut également florissant et se caractérisait par une stylisation des motifs décoratifs. Les ouvrages en plumes de différentes couleurs cousues de façon à composer des mosaïques sur les vêtements étaient très répandus.
Les Chimu, comme tous les peuples de la côte nord du Pérou excellèrent dans le travail de l'orfèvrerie. Héritiers d'une longue tradition dans le domaine du travail des métaux, les orfèvres Chimu maîtrisaient toutes les techniques connues à cette époque. Leur production se distingue de celles des cultures précédentes par son aspect quantitatif. Les objets fabriqués sont toujours les mêmes : éléments de parure pour les dignitaires et récipients en or et en argent. Certains types de pièces sont cependant spécifiques de l'orfèvrerie Chimu. Ce sont les couronnes parfois munies de plumes en or, les grands pectoraux, les tuniques, les appliques décoratives pour les vêtements, les ornements d'oreilles en feuilles d'or composés d'un long cylindre terminé par un disque, orné d'animaux ou de scènes miniatures et les vases-gobelets (*keros*) ayant la forme d'un visage humain en relief avec un nez proéminent. Les motifs décoratifs géométriques ou zoomorphes rappellent ceux qui ornent les murs d'argile des palais ou les tissus. Les représentations anthropomorphes dans l'art Chimu ont les yeux en amandes et portent généralement une coiffe en forme de croissant.
Du XIIème au XVème siècle, le royaume Chimu domine l'ensemble de la côte nord du Pérou et étendra son influence jusqu'à la côte centrale, dans la vallée de Chancay.
Il fut conquis au milieu du XVème siècle, vers 1460, par les Incas qui emmenèrent à Cuzco des orfèvres Chimu, réputés pour leur grande habileté.

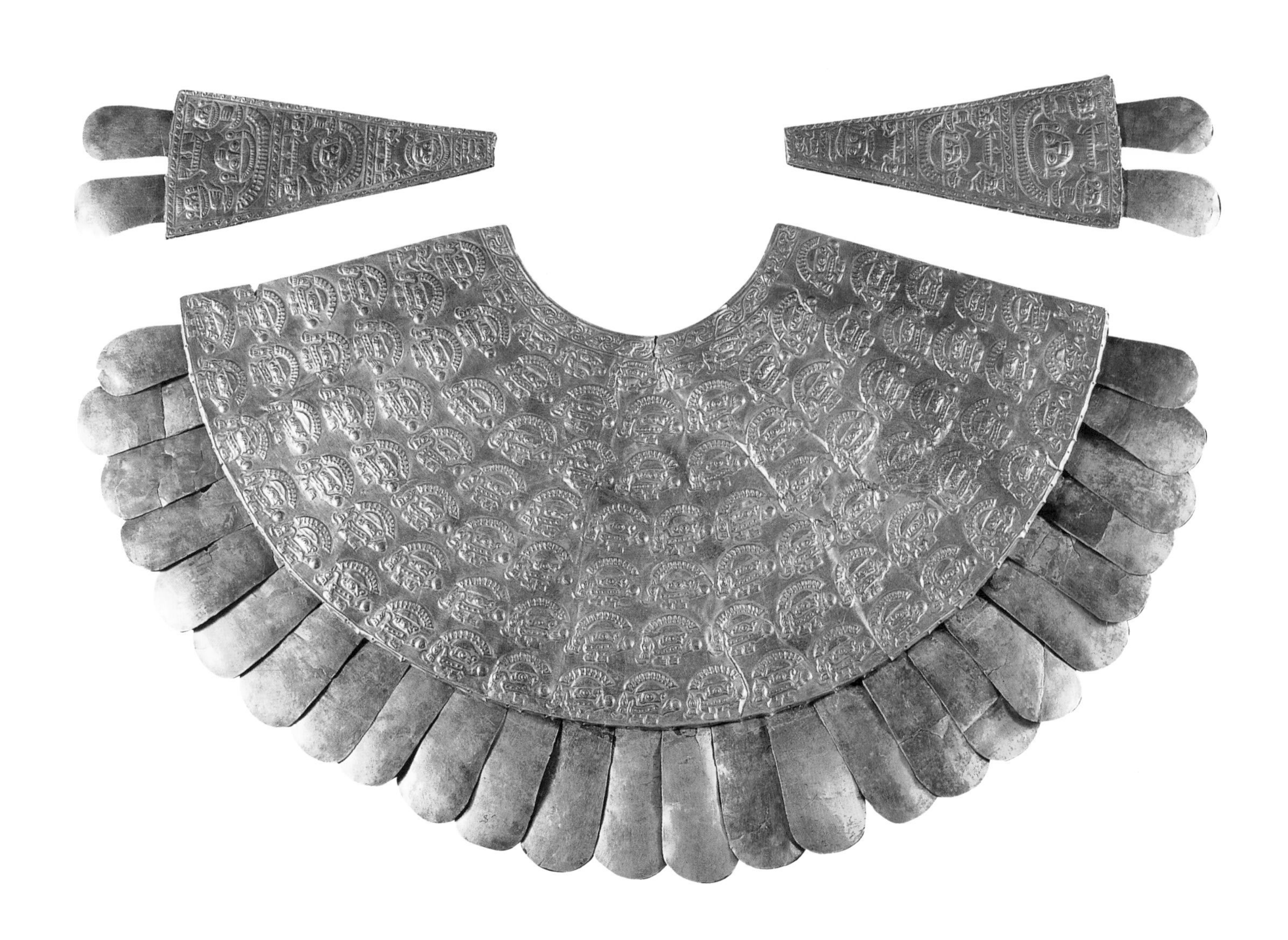

Couronne ornée de quatre plumes.
Musée archéologique Rafael Larco Herrera.
1000 - 1460 ap. J.-C.
H : 43 cm - L : 35 cm.

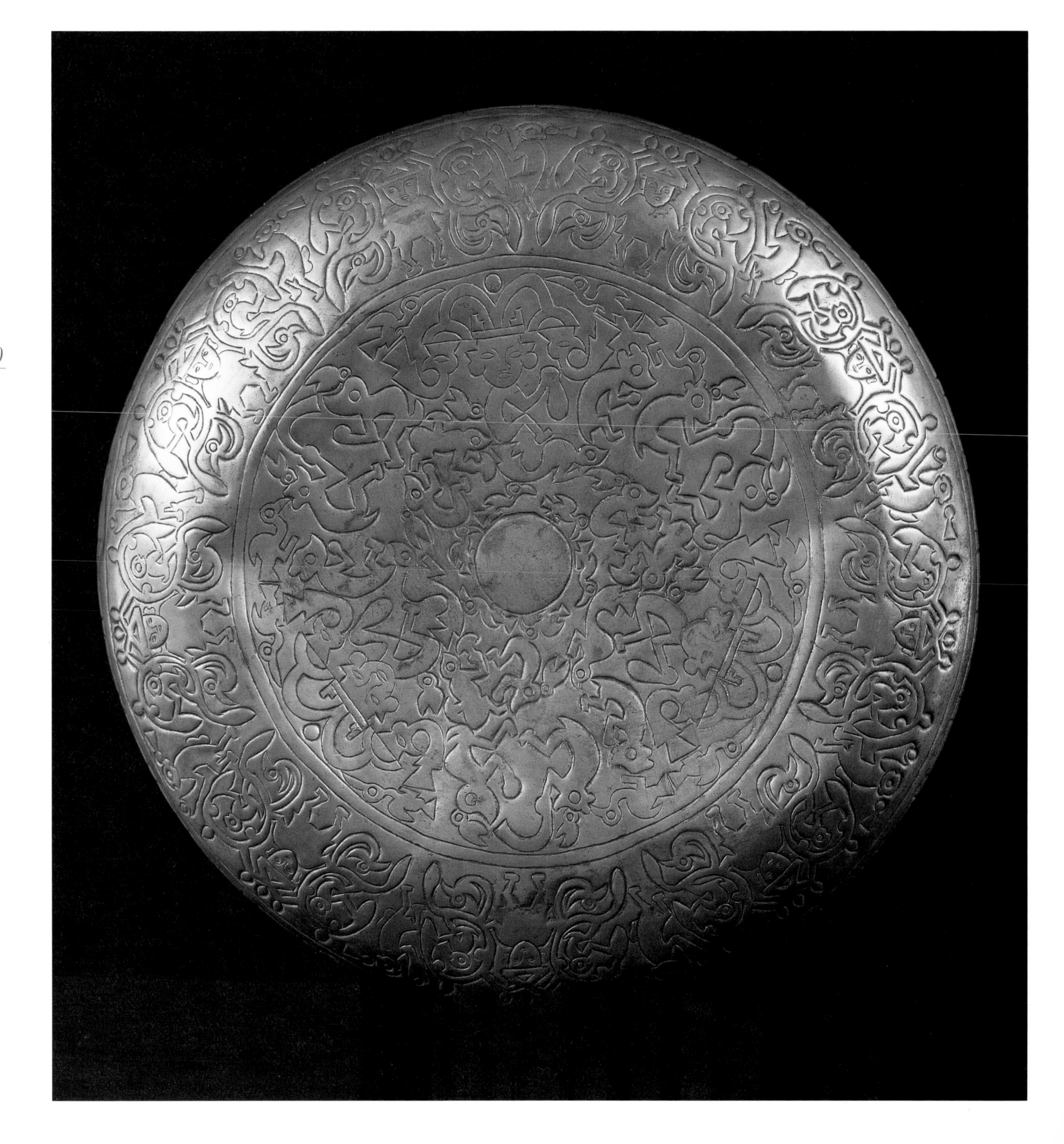

Plats,
Musée archéologique Rafael Larco Herrera.
1000 - 1460 ap. J.-C.
Ø : 27 cm.

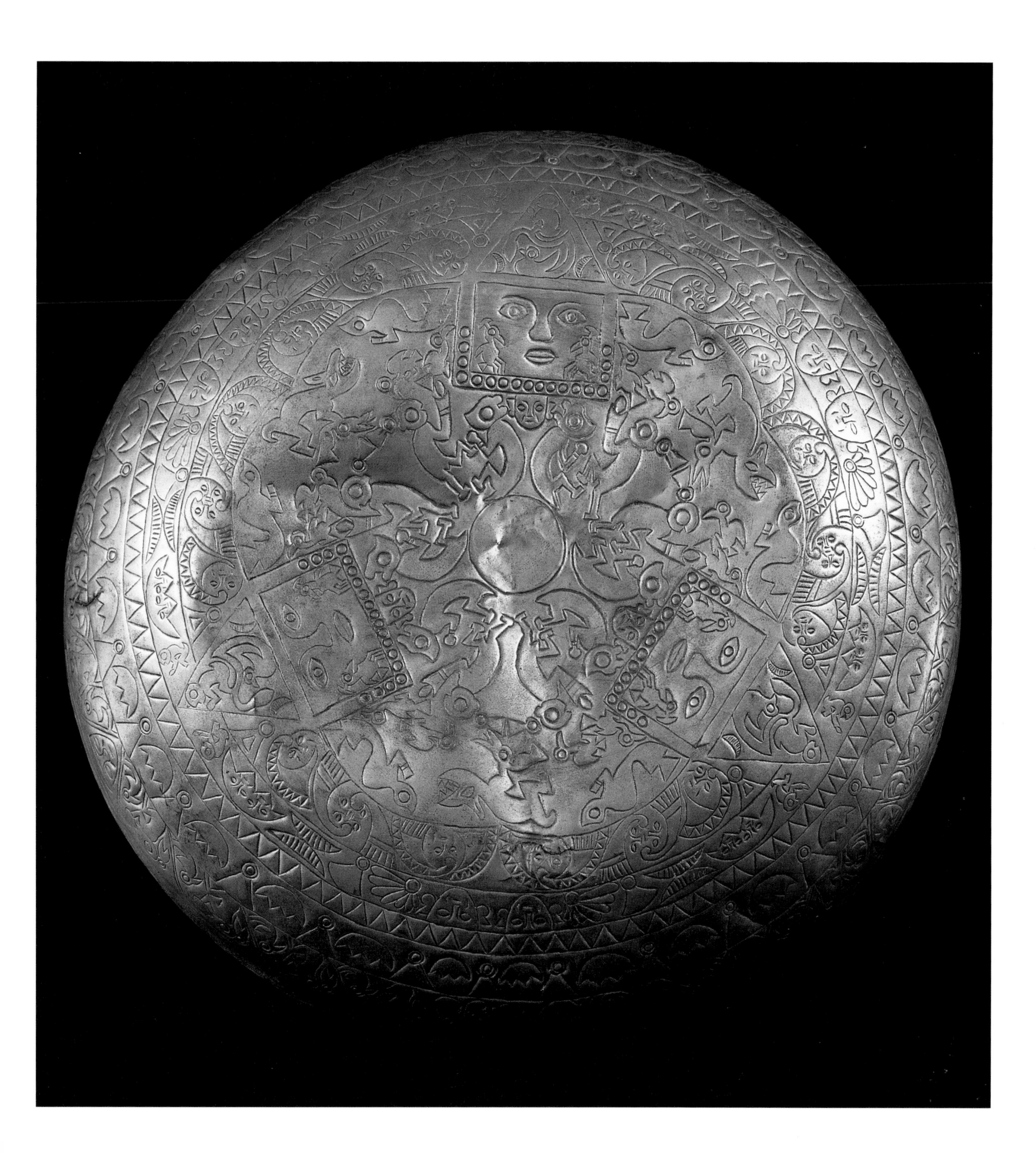

Inca

Page de droite :

Figurine anthropomorphe,
Banque Wiese.
1200 - 1533 ap. J.-C.
H : 6,5 cm.

Gobelet (kero), culture Chimu-Inca,
Banque Wiese.
1460 - 1532 ap. J.-C.
H : 19,8 cm - L : 7,2 cm.

INCA 1200 - 1533 après J.-C.

Au début du XIIIème siècle, dans la région de Cuzco, située dans les Andes du sud, un peuple guerrier, les Incas, fait irruption sur la scène de l'histoire. D'abord soumis à d'autres tribus plus puissantes de la région, les Incas, grâce à leurs armées deviennent rapidement les maîtres du plus grand empire de l'Amérique préhispanique. A partir de 1490, leur pouvoir et leur autorité s'étendent depuis le fleuve Ancasmayo, dans le sud de la Colombie, au fleuve Maule, dans le Chili central, soit un territoire d'environ 950 000 kilomètres carrés. Pour la première fois, une multitude de peuples andins se trouvent réunis sous le contrôle d'un seul Etat et d'un seul système économique. A toutes ces populations, les Incas imposent le culte du dieu solaire Inti, ainsi qu'une langue, le *quechua*, et mettent en place une armée de fonctionnaires chargés d'organiser, de planifier, de contrôler, de surveiller et d'assurer le bon fonctionnement des institutions. La cité de Cuzco est devenue une opulente capitale, siège du pouvoir suprême. Elle comprend d'imposants édifices religieux, administratifs ou résidentiels, bâtis en pierres taillées et soigneusement assemblées sans mortier. Elle est protégée par la forteresse aux trois enceintes en zigzag de Sacsayhuaman, dont certains blocs de pierre parfaitement ajustés pèsent plusieurs tonnes. Les édifices étaient peu décorés, mais selon les conquistadores, les murs du temple du soleil, le Coricancha, étaient recouverts de plaques d'or. L'architecture inca, présente dans tout l'empire, se caractérise également par la présence de portes, de fenêtres et de niches s'ouvrant sur les murs intérieurs en forme de trapèze. Dans les Andes le matériau de construction est la pierre et sur la côte l'adobe. Les édifices de style inca s'ajoutent aux précédents comme sur le grand sanctuaire de Pachacamac, près de l'actuelle ville de Lima.

Les principaux centres de l'empire étaient reliés entre eux par un vaste réseau routier qui permettait le déplacement rapide des armées. Des relais équipés d'armes et de vivres étaient disposés tout au long de ces voies de communication. Le pouvoir central était régulièrement et rapidement informé de ce qui se passait dans l'empire grâce à des messagers coureurs qui se relayaient pour faire parvenir les informations ou transmettre les ordres de Cuzco. Les fonctionnaires chargés des entrepôts de l'Etat comptabilisaient les denrées stockées sur des cordelettes à noeuds appelées *quipu*. Le système d'enregistrement permettait aussi de recenser la population.

Pour les grands travaux de l'Etat, l'administration inca mobilisait un grand nombre d'individus dans le cadre de la *mita*, sorte de corvée collective à durée limitée pour des ouvrages d'intérêt communautaire.

La céramique inca reproduit quelques modèles types. Les motifs peints sont presque toujours géométriques. On trouve également fréquemment un dessin stylisé de plante ressemblant à une fougère. La forme la plus caractéristique est une jarre à fond conique, à corps arrondi et au col haut et évasé, appelée *aryballe*. Elle pouvait être portée sur le dos grâce à une corde passant par deux anses latérales basses et par dessus une protubérance placée plus haut et parfois modelée en forme de tête d'animal. Un autre modèle courant était une écuelle peu profonde munie d'une poignée en anneau ou en forme de tête d'oiseau. Ces formes sont répandues dans tout l'empire et régionalement on en trouve des répliques modifiées et adaptées au style traditionnel local.

Dans le domaine des textiles, pratiquement toutes les techniques antérieures sont utilisées mais la production, comme pour la céramique, tend à l'uniformisation.

Les motifs décoratifs sont essentiellement géométriques. Les artisans incas

sculptèrent la pierre et réalisèrent surtout de grands mortiers plats, parfois ornés de têtes de félins ainsi que des petites représentations stylisées de lamas ayant une cavité sur le dos, destinée à recevoir des offrandes.
Les Incas firent entrer la métallurgie dans le cadre de la vie domestique en généralisant les outils usuels et les armes en cuivre ou en bronze.
De l'orfèvrerie inca il ne subsiste malheureusement que très peu de pièces, la grande majorité ayant été fondue dans les creusets des conquistadores.
L'or et l'argent étaient réservés à la fabrication d'éléments de parure pour l'élite ou d'objets pour les temples et les palais de l'Inca. Selon les chroniqueurs espagnols, l'intérieur des temples dédiés au soleil étaient recouverts d'or et les palais des souverains possédaient des jardins pour lesquels les orfèvres fabriquaient des plantes ou des animaux en métaux précieux. Les pièces d'orfèvrerie inca les plus caractéristiques parvenues jusqu'à nous sont des petites figurines en or, creuses (en feuilles) ou pleines, ou en argent ou combinant les deux métaux. Elles représentent généralement des lamas ou des hommes et des femmes nus. Concernant les techniques, l'incrustation d'un métal sur un autre (or et argent) fut particulièrement développée par les orfèvres incas.
Les destructions et les pillages qui suivirent la conquête espagnole expliquent la rareté des pièces que l'on peut considérer comme des créations représentatives du style inca.
Les fabuleux trésors rencontrés au Pérou par les conquistadores au XVIème siècle suscitèrent dans la pensée populaire l'association du nom même du pays avec celui du précieux métal.

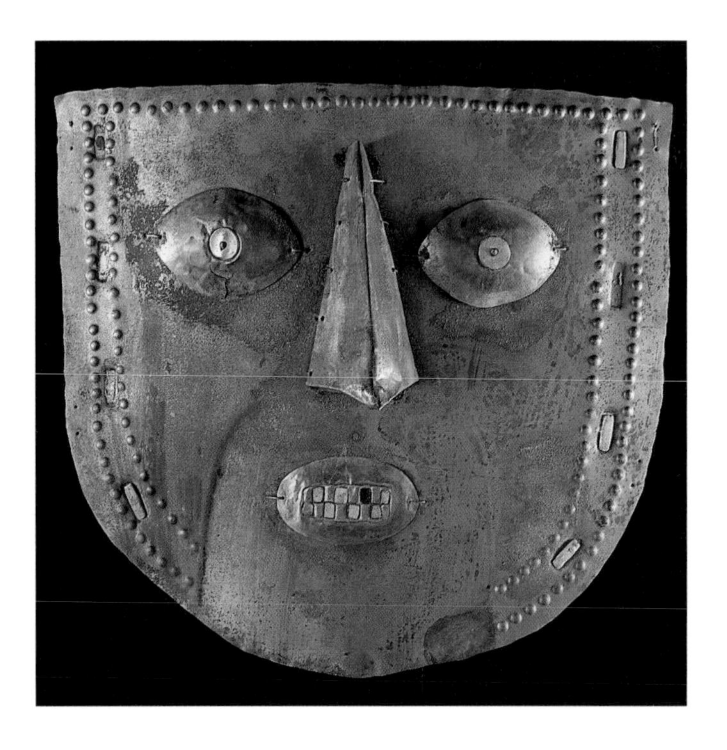

Masque funéraire, côte nord Huarmey, époque Inca. Banque Wiese. 1460 - 1532 ap. J.-C. H : 34 cm - L : 38 cm.

Equateur
Maria SELEDAD-LEIVA
Maria-Clara MONTANO
Santiago ONTANEDA
Marcello VILLALBA
Antonio FRESCO
Sergio DURAN PITARQUE

Chronologie

Période de développement régional
400 av. J.-C. - 800 ap. J.-C.

Période d'intégration
800 - 1480 ap. J.-C.

Empire Inca
1480 - 1533 ap. J.-C.

La Tolita
600 av. J.-C. - 400 ap. J.-C.

Jama-Coaque
400 av. J.-C. - 1530 ap. J.-C.

Bahia
500 av. J.-C. - 500 ap. J.-C.

Manteño
800 - 1530 ap. J.-C.

Milagro-Quevedo
800 - 1530 ap. J.-C.

El Carchi
800 - 1530 ap. J.-C.

Cañari
500 - 1530 ap. J.-C.

Inca
1470 - 1533 ap. J.-C.

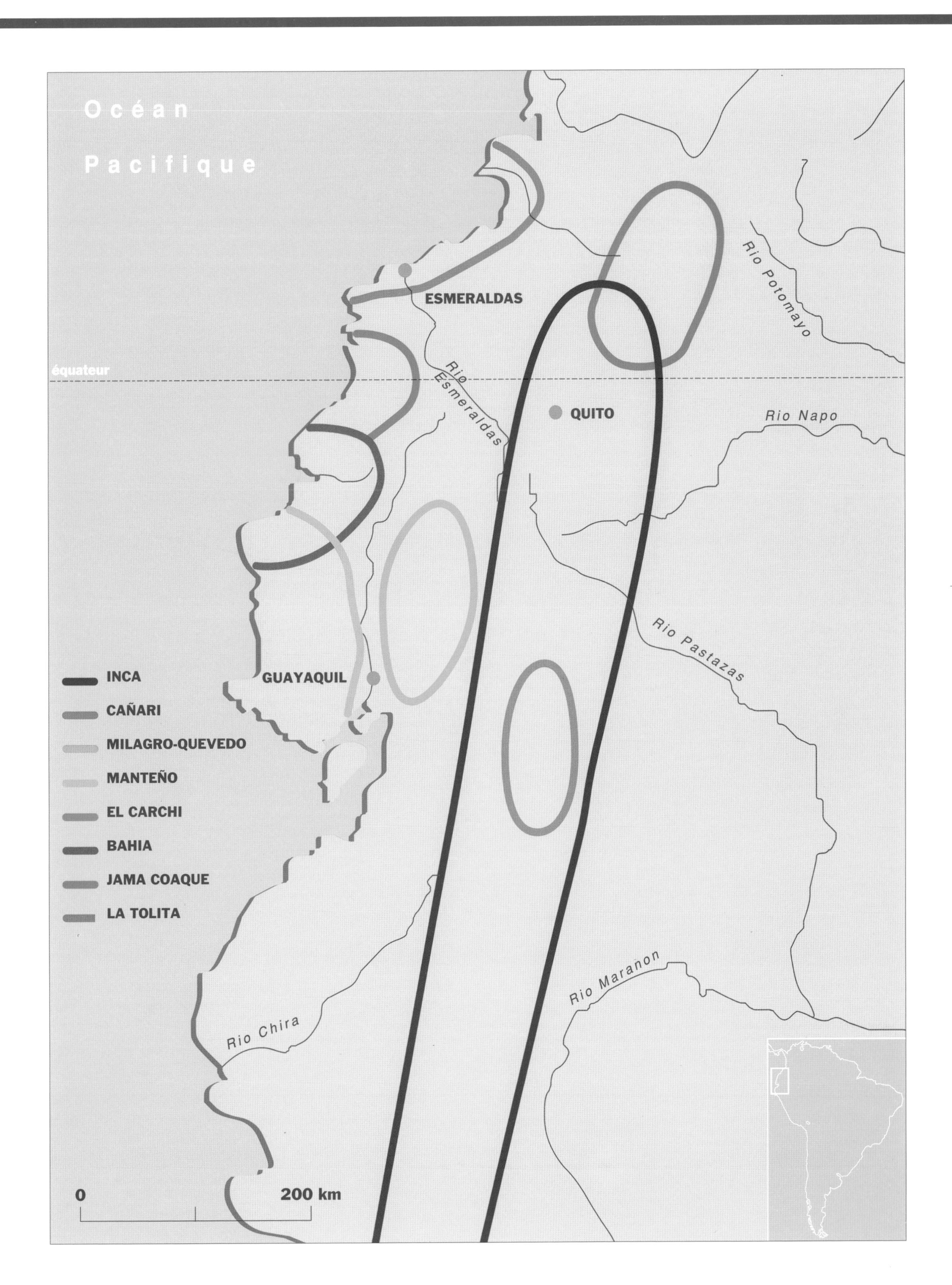

Océan
Pacifique
ESMERALDAS
équateur
Rio Esmeraldas
QUITO
Rio Potomayo
Rio Napo
Rio Pastazas
GUAYAQUIL
INCA
CAÑARI
MILAGRO-QUEVEDO
MANTEÑO
EL CARCHI
BAHIA
JAMA COAQUE
LA TOLITA
Rio Maranon
Rio Chira
0
200 km

La métallurgie préhispanique

en Equateur s'étend sur une période d'environ dix-neuf siècles. Elle fait son apparition vers 400 avant J.-C., avec les premières chefferies (période de développement régional) et culmine au moment de la destruction du monde andin, dûe à la conquête espagnole.

La période de développement régional (400/300 avant J.-C. à 800 après J.-C.) se caractérise par l'émergence de sociétés hiérarchisées nécessitant l'établissement d'un système idéologique capable de soutenir cette nouvelle organisation sociale. Ce système idéologique a cherché son contenu dans la religion et a développé la métallurgie comme vecteur de l'expression politique du pouvoir.

La métallurgie n'a pu exister qu'au sein de sociétés ayant confié cette production spécialisée à un secteur social précis, les travaux de base étant effectués par la majorité de la population.

La première évidence de l'existence d'une métallurgie en Equateur vient de la Tolita, une des plus importantes chefferies de la période de développement régional. Située sur la côte nord du pays, son influence s'est étendue jusqu'au sud-ouest colombien. Cette première trace de l'orfèvrerie a été découverte dans les niveaux les plus anciens du site, en association avec du matériel archéologique daté d'environ 400 avant J.-C. Il s'agit d'une petite feuille d'or dont l'analyse a permis de conclure qu'elle avait été soumise à des procédés de fonte, de martelage (irrégulier) et de recuit (Musée de la banque centrale, Guayaquil).

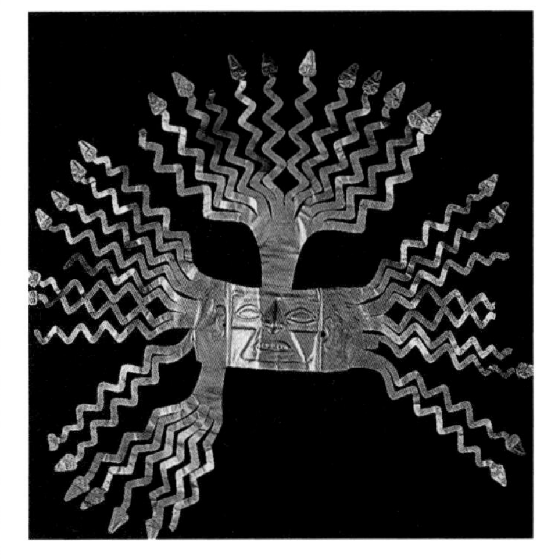

Masque solaire,
culture La Tolita,
Musée de la Banque Centrale, Guayaquil.
600 av. J.-C. - 400 ap. J.-C.
H : 18,1 cm - L : 21,8 cm.

La carence en analyses spécialisées sur les objets en métaux est à l'origine de notre ignorance des techniques de fabrication dans les autres chefferies de la côte nord de l'Equateur, comme celles de Jama-Coaque et de Bahia. Il est cependant possible de supposer que les mêmes techniques de base étaient utilisées pour le travail des métaux.

La Tolita

Plaque pendentif,
Musée de la Banque Centrale, Guayaquil.
600 av. J.-C. - 400 ap. J.-C.
0 : 17 cm.

Les artisans de ce temps avaient probablement réussi à acquérir une grande maîtrise dans le travail des métaux à partir d'une séparation manuelle en fonction de la couleur. Ils travaillaient l'or à froid (forgé) ou à chaud (fonte). L'or était fondu dans des creusets de terre cuite directement placés sur les fourneaux dont la température était contrôlée au moyen de tuyères. La fonte de l'or nécessitait une température de 1065° C, celle du cuivre une température de 1095° C et celle du *tumbaga* (alliage d'or et de cuivre) une température inférieure de 200° C environ.

Le produit de la fonte était martelé sur une enclume afin d'obtenir de fines feuilles. Si celles-ci venaient à casser, elles étaient alors soumises à un processus alterné de chauffe, de refroidissement et de martelage (trempé). Une fois les feuilles fabriquées, on délimitait le tracé des motifs décoratifs avec des poinçons en le découpant avec des ciseaux. Cette dernière technique est utilisée pour la majorité des objets représentatifs des premières chefferies de l'ancien Equateur. La maîtrise de ces techniques explique l'impressionnante production de pièces de très belle conception artistique, comme des masques, des figurines anthropomorphes et zoomorphes, des ornements de parures et des récipients. La finition des pièces était réalisée par polissage ou brunissage, en utilisant de l'eau, du sable comme abrasif et des polissoirs en pierre, en os ou en bois de cervidé.

Un grand nombre de pièces fut élaboré à partir de plusieurs éléments qui étaient ensuite assemblés avec des clous ou par simple pliage des bords. Dans certains cas, les éléments étaient réunis par soudure, opération qui consistait à coller deux ou plusieurs pièces sans qu'il y ait fusion. Les traces de cette opération étaient ensuite effacées par martelage. La soudure de deux objets d'un même métal était réalisée en soumettant les deux éléments à une température voisine du point de fusion ; au moment où ils devenaient "collants", on les martelait. Pour les alliages or-cuivre, ou or-platine, le

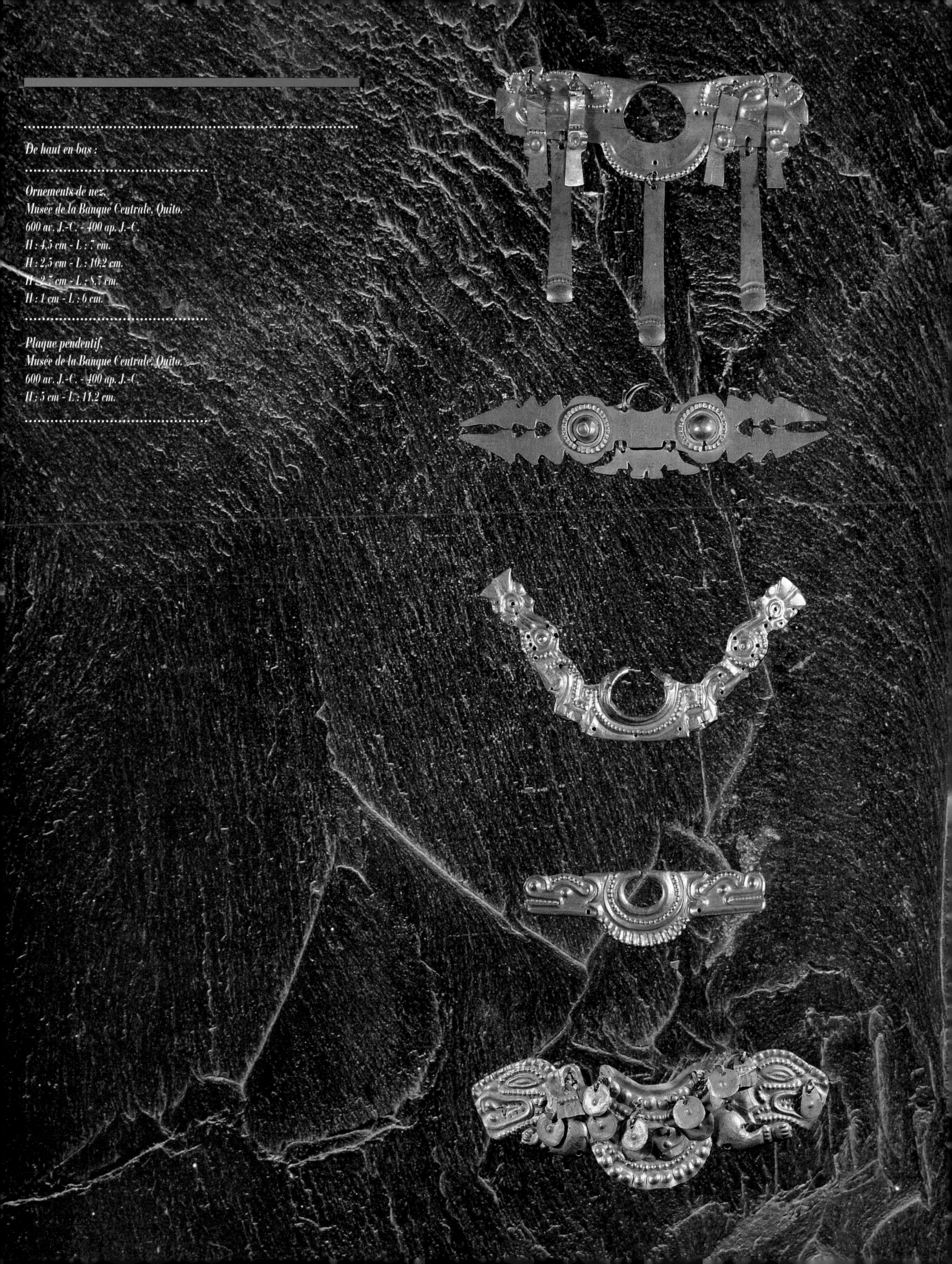

De haut en bas :

Ornements de nez,
Musée de la Banque Centrale, Quito.
600 av. J.-C. - 400 ap. J.-C.
H : 4,5 cm - L : 7 cm.
H : 2,5 cm - L : 10,2 cm.
H : 2,7 cm - L : 8,7 cm.
H : 1 cm - L : 6 cm.

Plaque pendentif,
Musée de la Banque Centrale, Quito.
600 av. J.-C. - 400 ap. J.-C.
H : 5 cm - L : 11,2 cm.

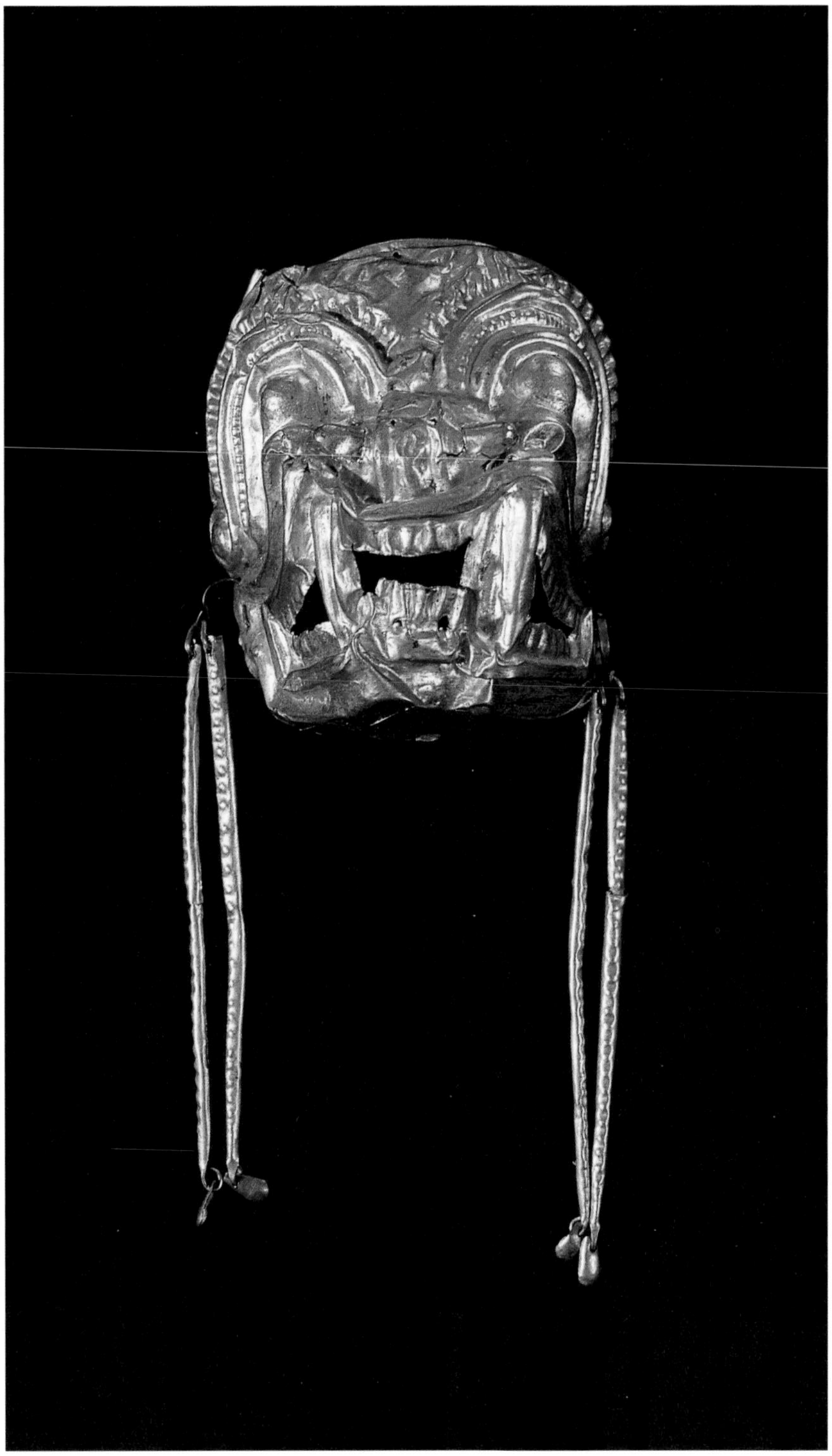

système était différent car ces métaux ont un point initial et final de fusion. La chauffe de l'alliage ne devait pas dépasser une température de 25° C en dessous du point initial de fusion. Les métaux devenaient alors pâteux et produisaient des gouttes en surface.
A ce stade, les éléments étaient soudés et les métaux qui suintaient sur les deux parties se mélangeaient et réalisaient la soudure. Ce procédé était très délicat car à l'approche de cette température de soudure le métal devenait cassant et les pièces pouvaient facilement se séparer.
Un long apprentissage permit de trouver des solutions aux différents problèmes fonctionnels qui se posaient : résistances, dureté et élasticité des objets, couleur et durabilité. Une attention toute particulière fut accordée à la couleur car l'orfèvrerie andine attache une grande importance à la mise en valeur de la surface visible des objets en métaux. Cette préoccupation explique l'apparition et le développement d'une technique qui a permis de pallier à la rareté du minerai aurifère, et qui consistait à recouvrir des pièces initialement confectionnées en *tumbaga* (alliage de cuivre et d'or). Grâce à divers procédés, les orfèvres réussirent à produire des objets ayant l'apparence du meilleur or, à partir d'un noyau en *tumbaga* auquel on ajoutait de l'or ou sur lequel on le mettait superficiellement en évidence.
Trois types de dorure superficielle étaient connus : par oxydation, par fusion ou par feuille. Le traitement par oxydation consistait à enlever le cuivre à la surface des objets élaborés en alliages cuivre-or ou or-argent. Il ne s'agit pas précisément d'un procédé de dorure, mais plutôt d'une coloration. On commençait par oxyder superficiellement le cuivre présent dans l'alliage, en chauffant la pièce à l'air libre. On retirait ensuite la couche d'oxyde de cuivre en utilisant un mélange à base de plantes (probablement de la famille *Oxallis*) et de saumure, solution que l'on devait faire bouillir mais qui n'affectait en rien l'or.
La dorure par fusion s'obtenait en trempant l'objet (généralement en cuivre) dans de l'or fondu. La dorure par feuille consistait à appliquer en surface des feuilles d'un alliage où l'or était le métal prédominant.
De récentes analyses sur des objets des cultures Tolita (période de développement régional) et Milagro-Quevedo (période d'intégration) ont permis de mettre en évidence les techniques de dorure par fusion et par feuille (*Scott*, 1986 : 288, 295).
Enfin les pièces ornées de délicates compositions en filigrane furent réalisées avec des fils fins et des pépites alluvionnaires.

De gauche à droite :

Masque pendentif,
Musée de la Banque Centrale, Quito.
600 av. J.-C. - 400 ap. J.-C.
H : 12 cm - L : 5,4 cm.

Masque pendentif,
Musée de la Banque Centrale, Quito.
600 av. J.-C. - 400 ap. J.-C.
H : 6,5 cm - L : 8 cm.

Equateur

La Tolita

Pendentif et plaque décorative,
Musée de la Banque Centrale, Quito.
600 av. J.-C. - 400 ap. J.-C.
Pendentif, H : 3,6 cm - L : 3,2 cm - Plaque, H : 7,8 cm - L : 6,8 cm.

Les fils étaient obtenus à partir de barres trempées, polies par étirement entre deux pierres ; les pépites alluvionnaires étaient forgées.
Les mêmes techniques de fabrication ainsi que la dimension sociale et symbolique de la métallurgie se sont maintenues lors de la période d'intégration (800-1480 après J.-C.). Cependant, la constitution de chefferies plus complexes a suscité d'autres demandes dans le domaine de la métallurgie et dans celui du commerce maritime. Au cours de cette période, la métallurgie s'est intégrée dans un système d'échanges à longue distance, contrôlé par les chefferies de la côte centrale du pays.
Les haches-monnaie en cuivre fondu constituent la nouveauté de cette période d'intégration. Elles apparaissent d'abord à Milagro, au nord du golfe de Guayaquil, généralement déposées en grande quantité lors d'inhumations ou dans les céramiques appelées "chaudrons de sorciers" (vases tripodes avec un décor foisonnant). La diffusion des haches-monnaie s'est effectuée sur toute la côte centrale et le bassin du fleuve Guayas, jusqu'à la côte nord du Pérou et l'ouest mexicain.
Pour les sociétés des chefferies des périodes de développement régional et d'intégration, le métal devient le vecteur d'un langage symbolique, porteur de valeurs cosmogoniques et socio-culturelles. Ainsi l'or et l'argent ont-ils acquis un caractère rituel en raison de leur inaltérabilité et de l'association de leurs couleurs - le doré et l'argenté - avec l'éclat du soleil et de la lune, phénomènes chargés de signification pour des sociétés établies à l'équateur.
Pour ces raisons ainsi que pour d'autres motifs, les métaux occupèrent une place privilégiée dans les ornements des dirigeants, les offrandes funéraires, les symboles religieux, les insignes, les objets rituels ou d'échange. En réalité, en Equateur et pour l'Amérique préhispanique en général, le métal possède avant tout un caractère symbolique et rituel plutôt qu'utilitaire.

CULTURE ET METALLURGIE

L'histoire préhispanique de l'Equateur se déroule en quatre périodes qui recouvrent un processus culturel ayant débuté il y a environ douze mille ans.
La période paléoindienne, caractérisée par des sociétés de chasseurs, collecteurs, pêcheurs va jusqu'à 4000 avant J.-C., lorsqu'apparaissent, de façon continue, des modes de vie fondés sur une économie de production au cours de la période dite formative. Il s'agit de communautés sédentaires cultivant le maïs, le manioc, la pomme de terre. Cette époque est également marquée par le développement d'une série d'activités dont c'est la première manifestation en Amérique, comme la céramique de Valdivia et d'autres innovations postérieures dans ce domaine, tel le vase à anse en forme d'étrier. Elles se diffusent vers la Mésoamérique et le Pérou.

Masque,
Musée de la Banque Centrale, Guayaquil.
600 av. J.-C. - 400 ap. J.-C.
H : 16,8 cm - L : 17 cm.

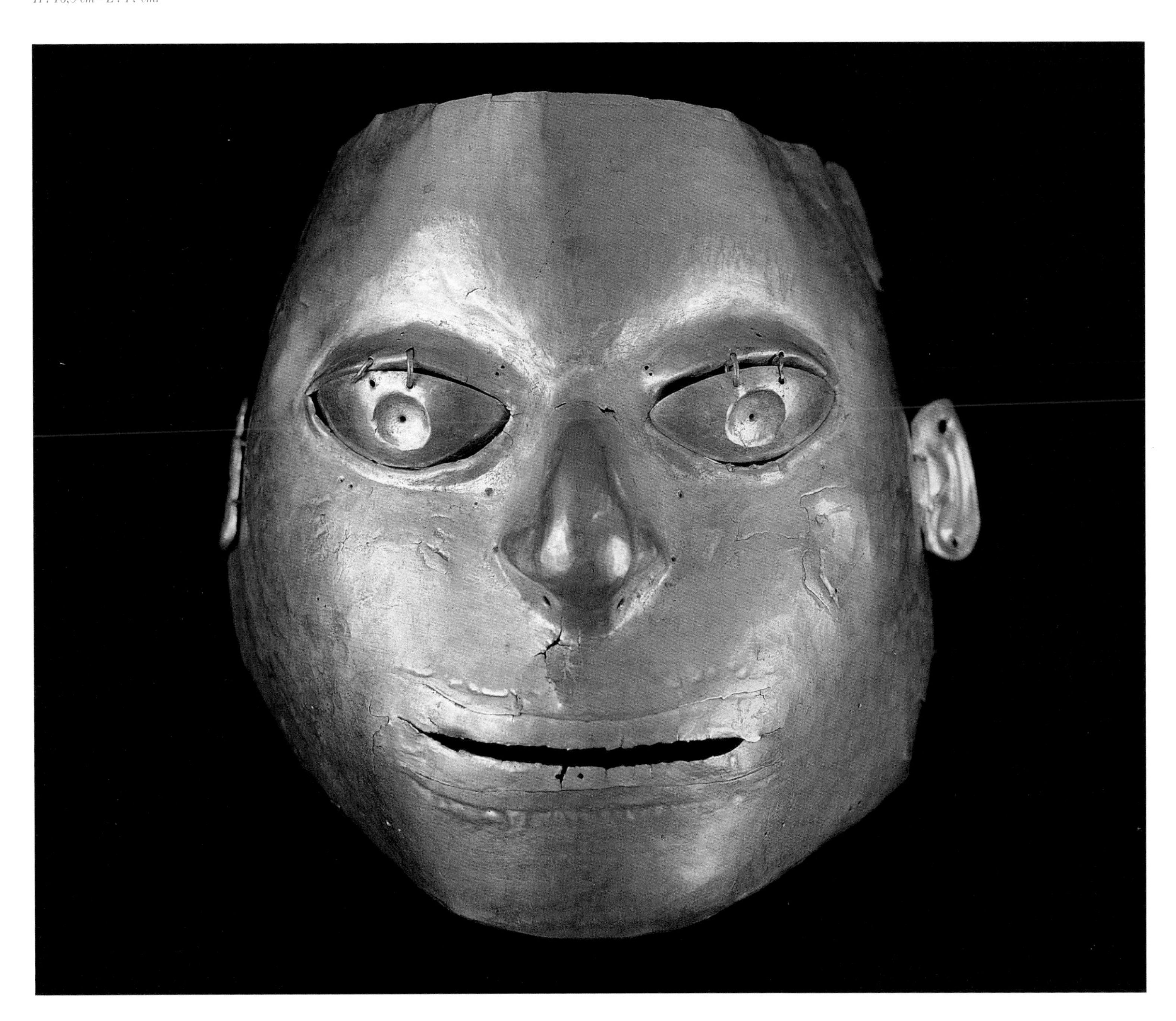

Vers les années 400-300 avant J.-C., des changements à caractère socio-productif se produisent grâce à un contrôle effectif de la variété de niches écologiques qui s'étendent entre la côte, la Sierra et l'Amazonie.
La proximité et l'accès relativement facile à ces zones permirent l'émergence de phénomènes culturels régionaux qui sont à l'origine de l'appellation donnée à cette période dite de "développement régional", jusqu'à 800 de notre ère.
La métallurgie est un des aspects qui définit le mieux cette période et celle de "l'intégration" (800-1480 après J.-C.). C'est la raison pour laquelle nous étudierons brièvement quelques caractéristiques de ces cultures dont la production d'orfèvrerie est présentée dans cette exposition jusqu'à l'époque inca.

Equateur

La Tolita

Masque funéraire avec yeux en platine,
Musée de la Banque Centrale, Quito.
600 av. J.-C. - 400 ap. J.-C.
H : 19,8 cm - L : 23 cm.

Masque pendentif,
Musée de la Banque Centrale, Quito.
600 av. J.-C. - 400 ap. J.-C.
H : 3,8 cm - L : 3,5 cm.

La Tolita

Ornement de nez,
Musée de la Banque Centrale, Guayaquil.
600 av. J.-C. - 400 ap. J.-C.
H : 7,2 cm - L : 14 cm.

Masque pendentif,
Musée de la Banque Centrale, Guayaquil.
600 av. J.-C. - 400 ap. J.-C.
H : 12 cm - L : 13,3 cm.

Ornement de nez,
Musée de la Banque Centrale, Quito.
600 av. J.-C. - 400 ap. J.-C.
H : 7,3 cm - L : 10,4 cm.

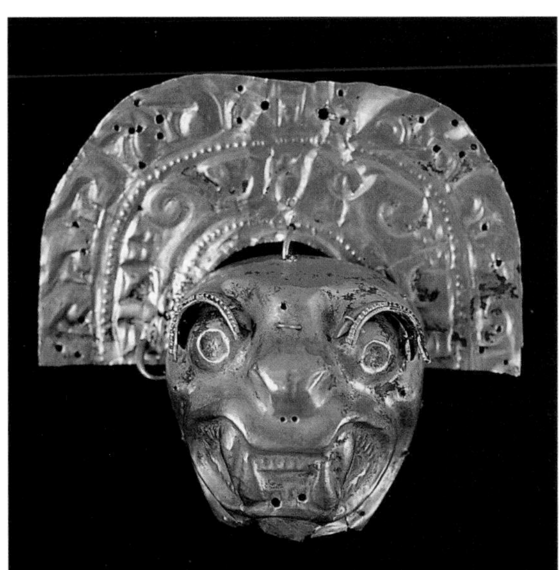

LA TOLITA 600 avant J.-C. - 400 après J.-C.

Le site de la Tolita se trouve à l'embouchure du fleuve Santiago, entre les fleuves Esmeraldas au sud et Mira au nord. Cette position stratégique ainsi que la variété de ressources disponibles dans la mer, les fleuves, la mangrove et à l'intérieur des terres, ont offert des conditions favorables au développement de cette culture.
Les diverses formations de mangrove permirent l'exploitation de mollusques et de crustacés. La plaine alluviale, elle, offrait de nombreuses espèces d'arbres fruitiers et d'autres pouvant être utilisées pour la construction de l'habitat. Dans la mangrove et à l'intérieur des terres, il existait une faune diversifiée parmi laquelle certaines espèces furent plus particulièrement recherchées par les anciens habitants. Les oiseaux, les reptiles et différentes variétés de poissons d'eau de mer ou d'eau douce abondaient également en cette région. Cette richesse écologique et la relation équilibrée existant entre les sociétés humaines et la nature, permirent l'épanouissement de la culture Tolita durant un millénaire.

Les grandes étapes de son développement furent les suivantes :

TOLITA 1	600-200 avant J.-C.

Cette période comprend des manifestations de la culture Chorrera (période précédente) et la transition vers la culture Tolita proprement dite.

TOLITA 2	200 avant J.-C. - 90 après J.-C.

Au cours de cette période, la culture Tolita se consolide et le site devient le centre cérémoniel régional le plus important.

TOLITA 3	90-400 après J.-C.

Cette période est celle du déclin culturel. Les causes de la décadence sont inconnues, mais il semble que l'île soit devenue un lieu de pélerinage avant l'émergence de chefferies politiquement plus puissantes, comme celles d'Atacame ou de Manteño, plus au sud.

L'épanouissement du site de la Tolita se situe au cours de la deuxième étape. Il se caractérise par l'édification de monticules artificiels, appelés *tolas*, utilisés pour les cérémonies, l'habitat et les enterrements des membres de l'élite. Ces tertres furent érigés dans des zones régulièrement inondées par la mer ou victimes du courant El Niño.

Comme les *tolas*, les *camellones*, champs de cultures surélevés, sont des structures dont les vestiges se dressent encore sur le site de la lagune de la Ciudad à proximité de la Tolita. La production permanente de produits alimentaires, comme le manioc et le maïs, facilita la constitution d'un excédent qui était stocké pour se prémunir lors des périodes de pénurie. Grâce à la sécurité relative procurée par une agriculture intensive complétée par la chasse, la pêche et la collecte, certains individus libérés des fonctions de production de base purent alors développer diverses activités artisanales, tandis que d'autres se consacraient aux échanges locaux ou inter-régionaux.
Cette étape se caractérise par une grande richesse artistique. De nombreux objets de prestige, utilitaires et ornementaux, furent élaborés dans une grande variété de matériaux

Jama-Coaque

Ornements d'oreilles,
Musée de la Banque Centrale, Guayaquil.
400 av. J.-C. - 1530 ap. J.-C.
H : 28 cm - L : 12 cm.

comme l'or, le platine, le cuivre, le cristal de roche, les jadéites et les émeraudes. La majorité de ces matières premières fut obtenue grâce à des échanges à longue distance. Ainsi l'obsidienne était-elle échangée avec des populations de la Sierra.

La dynamique sociale de la Tolita laisse supposer l'existence d'une organisation politique fondée sur la religion, comme semble l'indiquer l'abondance des objets de pouvoir, associés à des personnages de haut rang. Les nombreux ornements fabriqués en matériaux rares indiquent bien leur fonction cérémonielle et de prestige. Leur utilisation était réservée à des personnages importants, prêtres ou chefs, qui, simultanément, centralisaient le pouvoir à travers la religion et organisaient les systèmes de production.
Les tatouages et les déformations crâniennes, pratiqués indistinctement sur les hommes et les femmes, apparaissent comme d'autres signes de différenciation sociale. La hiérarchisation du groupe s'observe également dans les sépultures ; certaines sont somptueuses et d'autres modestes.
Un réalisme plastique émane de figurines de terre cuite, produites en série, modelées, moulées ou combinant les deux techniques, qui représentent des êtres anthropomorphes, zoomorphes, anthropo-zoomorphes ou reproduisent des scènes de la vie quotidienne ou cérémonielle.

Les animaux les plus fréquemment représentés sont le caïman, l'aigle, le serpent, la sarigue, le requin et surtout le félin. La fréquence de ces représentations laisse supposer que ces animaux étaient considérés comme sacrés. D'autres figurines présentent une combinaison d'aspects humains et animaux comme les hommes-félins, les hommes-caïmans et les hommes-sarigues.
La sculpture sur os et sur bois, représentant des scènes mythiques et cosmologiques, constitue un autre aspect significatif de l'abondante production artisanale.
La plus ancienne métallurgie du site se situe aux environs de 400 avant J.-C., c'est-à-dire dans le cadre de la phase Tolita 1 (600-200 avant J.-C.), mais l'apogée de la production d'orfèvrerie s'observe au cours des phases 2 et 3 de la Tolita.
Les ornements et les objets de prestige les plus significatifs sont des masques, des figurines anthropo-zoomorphes, des ornements d'oreilles et de nez, des pendentifs, des perles, des pectoraux, des diadèmes, des vases, des aiguilles, des hameçons, etc...
Les sources d'approvisionnement en minerai aurifère des orfèvres de la Tolita se trouvaient sur les cours moyen et supérieur des fleuves Santiago et Cayapas (*Ribadeneira*, s/f : 16).
Les résultats des analyses chimiques réalisées sur des échantillons archéologiques indiquent des compositions variables d'un objet à l'autre. On relève cependant une prédominance de l'or, du cuivre, de l'argent et du platine. Bien qu'il soit difficile d'affirmer que ces populations aient connu les techniques d'affinage de l'or alluvionnaire, il est possible d'en déduire qu'elles avaient acquis une certaine maîtrise de l'exploitation du cuivre, de l'arsenic et du platine. Comme le dit Lechtman :
"Il est probable que les anciens mineurs et métallurgistes se fondaient sur les différences de couleur pour identifier les minerais, comme le font actuellement les géologues. Ainsi pouvaient-ils considérablement contrôler l'utilisation des matières premières à partir de cette séparation manuelle selon la couleur" (*Lechtman*, 1978 : 494).

Les orfèvres de la Tolita maîtrisent les techniques de la forge, de la fonte, du martelage, de la trempe, du repoussé, de la soudure, de la dorure, du polissage, du brunissage et du délicat travail du filigrane. Ils furent les seuls dans l'Amérique préhispanique à travailler le platine en utilisant une méthode très particulière. Ils ne fondaient pas le platine car il aurait fallu des températures de chauffe de l'ordre de 1780° C.
Ils mirent à profit un phénomène particulier : les particules de platine, une fois séparées, étaient mélangées avec un peu d'or en poudre. Le tout était ensuite chauffé et l'or en poudre devenu liquide pénétrait le platine tandis qu'une petite proportion de ce métal se dissolvait dans l'or fondu.
Ce procédé fut longuement étudié par Bergsoe (1937).
Par la suite les orfèvres alternaient chauffe et martelage pour obtenir des feuilles à partir desquelles ils fabriquaient divers objets ou des éléments qui étaient ajoutés à d'autres pièces.

JAMA-COAQUE 400 avant J.-C. - 1530 après J.-C.

Les vestiges de la culture Jama-Coaque se rencontrent au sud de la province d'Esmeraldas, depuis Cojimies jusqu'au nord de la province de Manabi, dans les vallées de Jama et de Coaque.

La côte nord de la province de Manabi est une zone de transition entre les climats humide et sec, raison pour laquelle la forêt tropicale qui la recouvre présente une grande variété. Une vaste zone côtière, la mer et le milieu ambiant constituent un complément en ressources marines pour l'échange à l'extérieur et à l'intérieur de la région comme le démontrent les représentations en céramique de navigateurs.

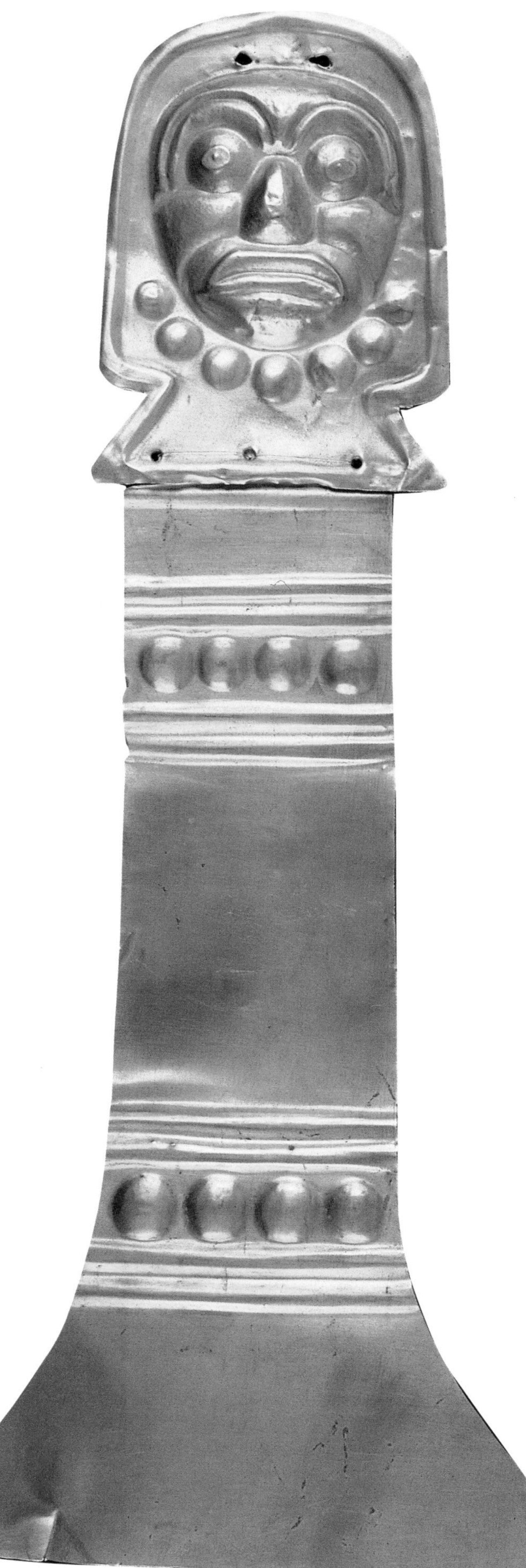
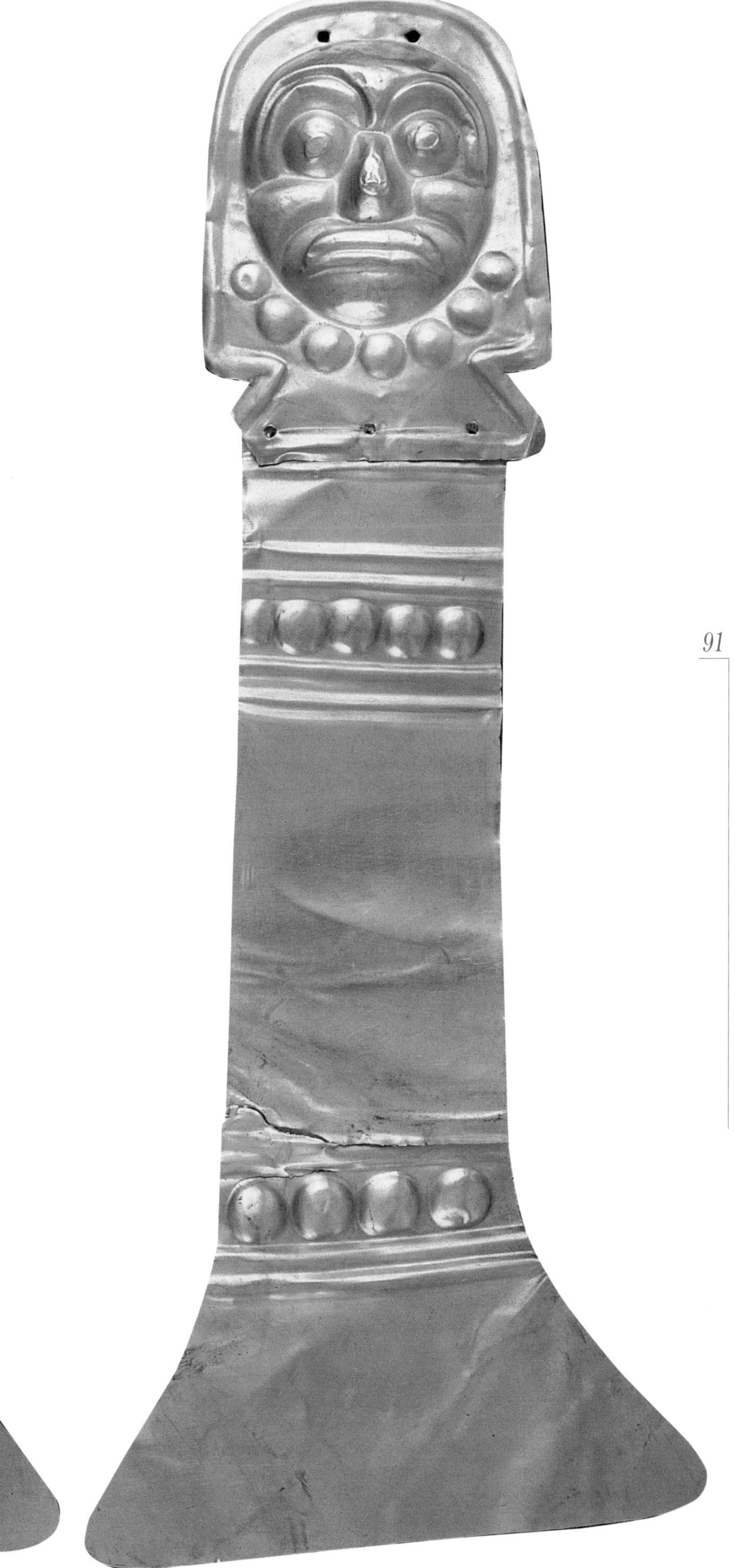

Jama-Coaque

Ornement zoomorphe,
Musée de la Banque Centrale, Quito.
400 av. J.-C. - 1530 ap. J.-C.
H : 8 cm - L : 12 cm.

Gobelet,
Musée de la Banque Centrale, Guayaquil.
400 av. J.-C. - 1530 ap. J.-C.
H : 9,8 cm - L : 14,3 cm.

Bahia

Représentation de coquillage,
Musée de la Banque Centrale, Quito.
500 av. J.-C. - 500 ap. J.-C.
H : 10,6 cm - L : 22,4 cm.

Récipient à coca,
Musée de la Banque Centrale, Quito.
500 av. J.-C. - 500 ap. J.-C.
H : 9,6 cm - L : 22,2 cm.

Ornement d'oreille,
Musée de la Banque Centrale, Guayaquil.
500 av. J.-C. - 500 ap. J.-C.
H : 5 cm - L : 9 cm.

Les plus importantes ressources hydrographiques furent les fleuves Jama et Coaque dont les sols sont adaptés à une agriculture intensive, suffisante pour entretenir une population de plus en plus nombreuse.
Jama-Coaque est une des traditions culturelles les plus longues et la mieux étudiées de la côte équatorienne. Actuellement, on distingue deux grandes étapes, Jama-Coaque 1 (de 355 avant J.-C. à 400 après J.-C.) et Jama Coaque 2 qui se prolonge jusqu'à 1533 de notre ère. San Isidro est le site Jama-Coaque le mieux connu. Il se caractérise par la présence d'un immense monticule artificiel de type plate-forme, situé au centre de l'actuelle agglomération. Sa longue occupation continue suggère une fonction de centre cérémoniel. De fait, la haute densité de sites localisés dans les alentours permet de conclure à une hiérarchisation régionale des établissements humains autour du centre de San Isidro (*Zeidler*, 1991).
Dans le domaine de la céramique, la culture Jama-Coaque se distingue par l'utilisation du décor pastillé. La représentation humaine est richement parée et ornée d'éléments décoratifs fabriqués séparément. Aux coiffes et aux costumes sont incorporés des motifs zoomorphes, de préférence des oiseaux, et des représentations de plantes marquant la volonté de clairement montrer certains des produits cultivés qui devaient avoir une grande importance. Ceci indique une étroite relation entre la nature et un esprit à la fois festif et rituel. Les sujets représentés sont d'une grande variété : images de personnages importants, scènes érotiques, individus déguisés, chasseurs, orfèvres, musiciens, porteurs, animaux sacrés ou maquettes de temples. Toutes ces pièces sont le reflet des aspects les plus significatifs de la vie sociale.
Les couleurs utilisées sont le vert, le jaune et le brun ainsi que le rouge, le noir et le blanc. Dans certains cas, toutes les couleurs sont présentes sur une seule et même pièce.
La production massive de pièces faites au moule, les réalisations dans les domaines de la céramique, de la métallurgie, de l'architecture ou d'autres activités révèlent un niveau élevé de spécialisation et de stratification. L'ornementation corporelle, les déformations crâniennes, les tatouages, les incisions dentaires témoignent clairement de la volonté de se différencier socialement.
La présence d'objets utilitaires tels les sceaux, les poinçons, les aiguilles ainsi que la représentation de l'habillement riche et varié porté par les figurines atteste d'une activité textile qui avait également atteint un niveau raffiné.
Il n'existe aucune mention de découverte d'objets en métal dans leur contexte archéologique. Nous disposons cependant d'une ample documentation grâce aux pièces conservées dans les musées. Les plus remarquables sont des parures du visage comme des ornements d'oreilles tubulaires et annulaires ou des ornements de nez en feuilles, des figurines, des plaques zoomorphes et des bols. De plus, les sources ethno-historiques offrent des éléments d'information qui permettent de pallier à ce que la recherche archéologique n'a pu obtenir.
Ainsi Diego-Trujillo témoigne : *"Les informations que nous avions sur Coaque, décrivaient une agglomération très riche en or, en argent, en émeraudes et en autres pierres de couleur..."* (*Pizarro*, 1965 : 120).

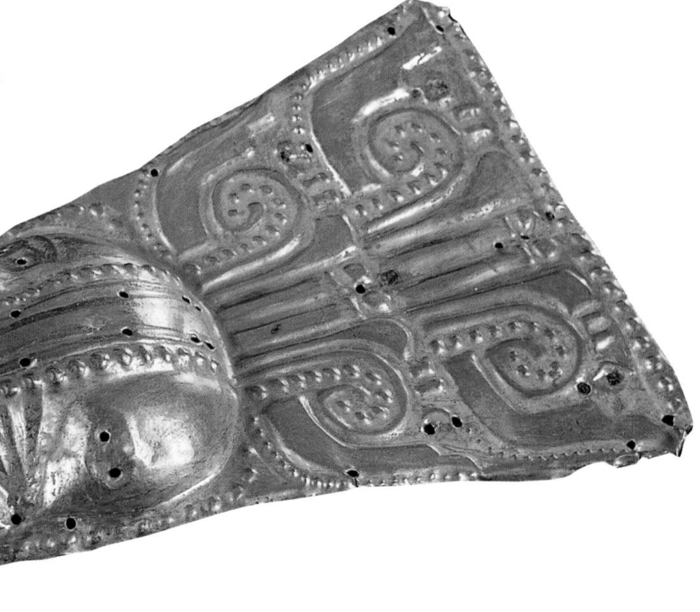

BAHIA 500 avant J.-C. - 500 après J.-C.

Le développement de cette culture s'est effectué dans un milieu écologique offrant une grande richesse en ressources alimentaires, constitué de forêts tropicales sèches, de vastes zones de mangroves à l'embouchure des fleuves et de forêts semi-humides à l'intérieur des terres.
La culture Bahia fut essentiellement côtière et la navigation maritime en a été une des principales caractéristiques. Ainsi l'île de la Plata, bien que située à une grande distance de la côte, a été un lieu de culte et de pèlerinage. Les vestiges archéologiques découverts sur cette île témoignent d'une société fortement hiérarchisée au sein de laquelle les relations symboliques étaient dominées par des groupes sociaux détenteurs des ouvrages monumentaux et d'une production artisanale de prestige.
L'île de la Plata, en plus de son rôle cérémoniel, était une source d'approvisionnement en spondyles, coquillage fondamental dans les circuits d'échanges entre les régions, en raison de la valeur magique que lui attribuaient les peuples préhispaniques. Le site conserva son rôle de centre de pèlerinage et de réserve de spondyles, ou d'autres coquillages, au cours de la période d'intégration de la culture Manteña.
Durant la culture Bahia, comme à la Tolita et à Jama-Coaque, on distingue des centres principaux et d'autres satellites. Chacun avait un rôle distinct mais était articulé aux autres dans le cadre d'un système politico-religieux régional. A Manta, par exemple, il existe des ensembles de *tolas* avec plates-formes qui révèlent l'existence d'un tracé semi urbain (*Estrada*, 1962 : 121). A Salango, *"s'est créée et développée une petite ville avec des rues bien tracées, de petites places, des systèmes de drainage, des édifices, des enceintes cérémonielles et des cimetières"* (*Norton*, 1983).
Parmi les figurines, il est possible de distinguer des représentations de personnages puissants grâce au fini artistique des statuettes qui les différencie d'autres illustrant des individus chargés d'accomplir les activités quotidiennes de base. De grandes quantités de figurines ont été réalisées au moule ou simplement modelées et décorées de peintures de différentes couleurs après la mission.
Les sceaux, les sifflets, les appuie-nuques, les ornements d'oreilles et de nez constituent d'autres traits caractéristiques de cette culture.
Une ritualité manifeste est attestée par d'autres objets comme les xylophones ou les haches cérémonielles gravées, en pierre, les pendentifs anthropomorphes et phalliques en calcaire, ainsi que les petites tables "rituelles" à usage inconnu découvertes à la Plata.
Des sépultures secondaires Bahia, en urnes avec couvercles, et des inhumations en enceintes cérémonielles découvertes sur l'île de Salando mettent en évidence l'existence de rituels funéraires complexes.
Comme autres matériaux fréquemment utilisés, on trouve la jadéite, la turquoise, le lapis-lazuli, et des coquillages (spondyles) taillés.
La déformation crânienne, les coiffures et les tatouages essentiellement représentés sur les figurines du type Esteros montrent, là encore, les signes d'une différenciation sociale.
L'apparition de la métallurgie dans le contexte de la culture Bahia ne peut être définie avec certitude. Cependant il est sûr que dans cette zone s'est développée une production préférentielle d'ornements corporels en or et en cuivre. La majorité du matériel conservé dans les musées est constituée d'ornements de nez en feuille ou tubulaires, de formes circulaires, demi-circulaires, cylindriques ou avec prolongations latérales. On trouve également des ornements d'oreilles décorés de motifs zoomorphes et de spirales, des diadèmes, des pectoraux, des pendentifs, des pinces à épiler et de petites boites pour préparer la coca.

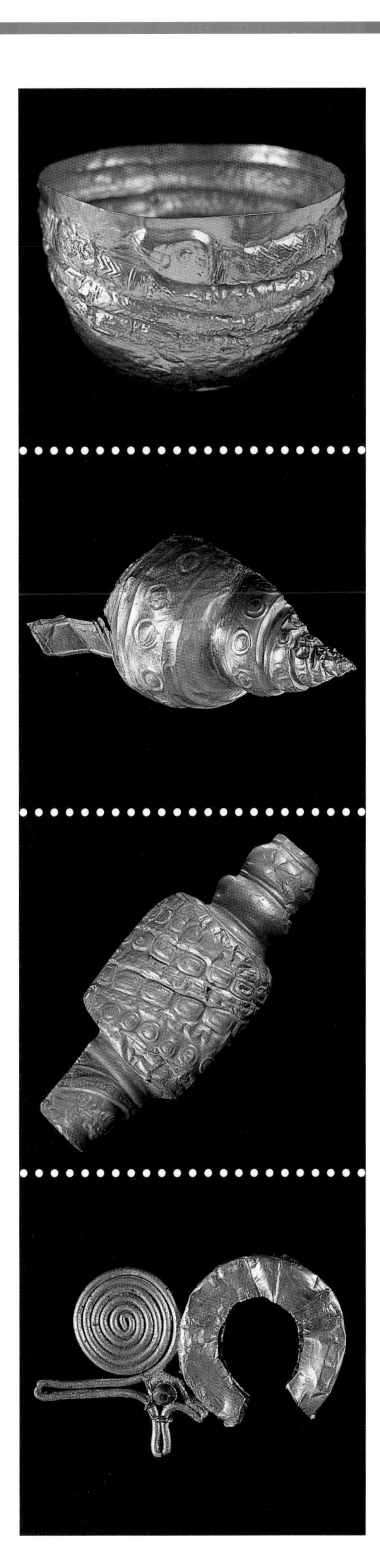

Page de gauche :

Masque,
Musée de la Banque Centrale, Guayaquil.
800 - 1530 ap. J.-C.
H : 6 cm - L : 5,5 cm.

Ornement de nez,
Musée de la Banque Centrale, Guayaquil.
800 - 1530 ap. J.-C.
H : 3,3 cm - L : 5 cm.

Gobelet,
Musée de la Banque Centrale, Guayaquil.
800 - 1530 ap. J.-C.
H : 6,6 cm - L : 12,5 cm.

MANTEÑO-HUANCAVILCA 800 - 1530 après J.-C.

Sur les côtes équatoriennes, la rencontre des deux mondes eut lieu en 1526. Une embarcation Manteña, chargée de divers produits de commerce et d'échange, fut capturée par le pilote espagnol Bartolomé Ruiz. Ainsi la culture Manteño-Huancavilca faisait irruption dans l'histoire du monde occidental en démontrant sa capacité de diversification dans le domaine de la navigation à longue distance, son habileté commerciale, son avance technologique et une organisation socio-politique qui stupéfia les nouveaux venus.

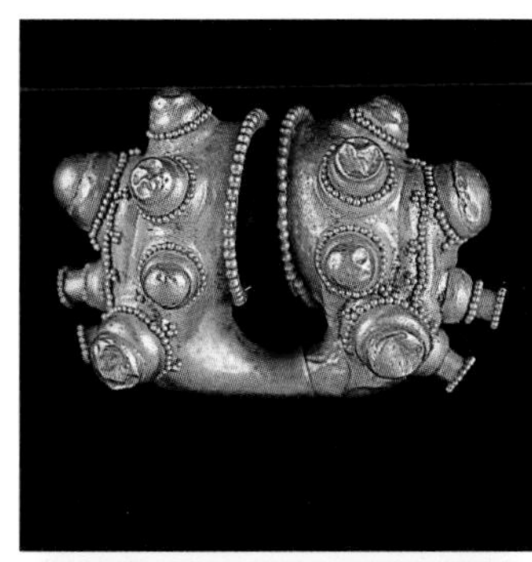

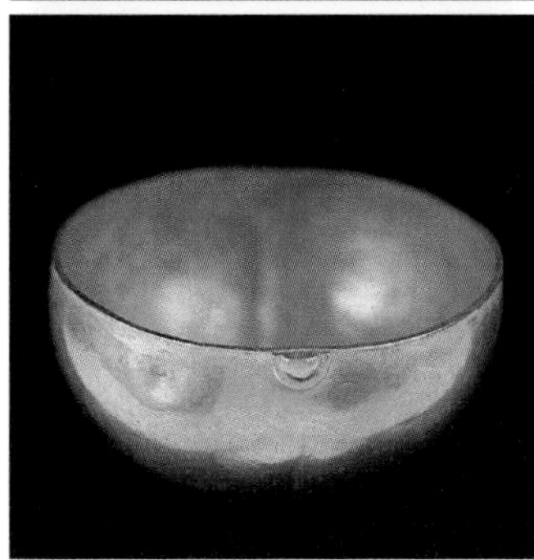

Les origines exactes de cette culture sont encore méconnues. Mais à partir du IXème siècle de notre ère, de petites chefferies fusionnèrent et donnèrent naissance à une confédération qui, au moment du contact avec les Espagnols, s'étendait sur trois zones précises : les Manteños du nord, dans la province de Manabi, à partir de Bahia de Caraquez et de Manta ; au centre, les Manteños méridionaux ou Huancavilcas, qui pénètrent également le golfe de Guayaquil jusqu'aux fleuves Guayas et Daule ; et au sud les Punaes, établis sur l'île de Puna et une partie des côtes de la province d'El Oro.
Les Manteño-Huancavilcas fondèrent leur développement culturel sur l'agriculture (maïs, haricot, manioc, cacahuètes, cacao), la pêche, la chasse (principalement le cervidé et le pécari) et, surtout, sur le commerce.
Excellents navigateurs et habiles marins, ils se rendirent jusqu'au Pérou et jusqu'en Méso-amérique grâce à de grandes embarcations construites avec des troncs de balsa, dont la stabilité était assurée par des voiles de coton, et qui pouvaient embarquer jusqu'à trente tonnes. En raison de cette capacité marchande et du commerce à longues distances qu'ils pratiquaient, ils sont également désignés sous l'appellation de "confédérations de marchands".
Les produits commercialisés ont été minutieusement décrits et la majorité d'entre eux furent découverts dans des fouilles archéologiques. Tout au long de la côte, il y avait différents centres urbains qui fonctionnèrent sans doute comme des ports de commerce. Les recherches archéologiques ont mis en évidence de nombreux vestiges et révélé des différences marquées concernant les dimensions, la population, l'architecture civile et religieuse. Ainsi certains établissements ont acquis la dimension de grandes métropoles ou de centres cérémoniels comme Manta, Cerro de Hojas, Agua Blanca, Salango, la Plata etc...
Il existait une organisation sociale rigide, fondée sur une organisation du pouvoir clairement établie et divisée en secteurs, territoires caractérisés par une hiérarchisation socio-économique importante ou mineure.
Les fameux "sièges de pouvoir", caractéristiques de la culture Manteño, sont des sièges de pierre en forme de U, dont la base représente des figures humaines soumises, des animaux féroces comme le jaguar, parfois anthropomorphes. Ces sièges témoignent du sens hiérarchique et symbolique du pouvoir (réparti entre le cacique et le chamane), et du contrôle socio-politique régional. Les stèles semblent également posséder ce caractère symbolique rituel qui soutenait et légitimait le pouvoir.
Comme autres objets caractéristiques de la culture Manteño, il y a les encensoirs en céramique, à la couleur noire brillante si particulière, supportés par des représentations masculines dressées ; des vases modelés ornés de représentations anthropomorphes ou anthropo-zoomorphes (renards) qui semblaient représenter les canons esthétiques de l'homme Manteño ; les sceaux, les pectoraux en cuivre, les masques en or et en argent etc...
Sur tous ces objets apparaissent fréquemment des images de félins, de chauves-souris, de singes, de pélicans, de poissons, de reptiles, de sarigues en tant que symboles de pouvoir, du cycle de la vie et de la mort et de la fertilité.

Ornement de nez,
Musée de la Banque Centrale, Guayaquil.
800 - 1533 ap. J.-C.
H : 5,2 cm - L : 8,1 cm.

Ornement de nez,
Musée de la Banque Centrale, Quito.
800 - 1533 ap. J.-C.
H : 4,4 cm - L : 8,8 cm.

Ornement de nez,
Musée de la Banque Centrale, Guayaquil.
800 - 1533 ap. J.-C.
H : 4,5 cm - L : 10 cm.

LES HUANCAVILCAS

Ils établirent un centre cérémoniel important sur l'île de la Plata, à 43 kilomètres au nord-est de Salango, lieu de pèlerinage depuis les temps les plus anciens comme la phase Valdivia III, vers 2500 avant J.-C. (*Norton*, 1986). Un récit du voyage de Pizarro en 1528 relate son arrivée sur cette île : "*ils reconnurent une île... où ils firent le plein d'eau et de bois. Il n'y avait aucun habitant car les Indiens de la région la considéraient comme sacrée... Ils se rendirent compte de la richesse des territoires qui se présentaient à eux, car ils y découvrirent de nombreux objets en or et en argent*". (*Herrera*, 1942 : 442-443)
Cieza confirme ce récit et explique : "*...Ils arrivèrent sur cette île et y découvrirent de l'argent et des joyaux en or..., depuis ce moment et jusqu'à maintenant, elle conserva son appellation de l'île de l'argent* ."(*Cieza*, 1947, chap. IV)
A propos des Huancavilcas, il existe des descriptions d'ornements faciaux :
"Les Huancavilcas, hommes et femmes, se perforaient le cartilage du nez pour y accrocher un petit joyau en or" (*Garcilaso*, 1960 : 337). Ils se perçaient également les oreilles, les lèvres et les joues pour y placer des boucles, des labrets et des clous faciaux en plus des anneaux, des pendentifs, des couronnes et des diadèmes en or et en argent qu'ils portaient. Benzoni décrit ainsi la parure d'un chef : *"...j'ai rencontré plusieurs fois le seigneur de ce village [Colonche] ; ... au cou il avait un collier de six rangs, d'un or d'une extrême finesse travaillé en forme d'épais coraux ; à la main il portait un anneau et ses oreilles percées étaient pleines d'or et de joyaux."*
(*Benzoni*, 1985 : 112-113)

MILAGRO-QUEVEDO 800 - 1533 après J.-C.

La culture Milagro-Quevedo est désignée par les noms des agglomérations les plus importantes situées dans le bassin du fleuve Guayas, centres qui permirent aux archéologues de délimiter approximativement le territoire où s'est développée cette culture.
Cette zone, caractérisée par la présence de fleuves importants qui alimentent la plus grande arrivée d'eau douce au Pacifique - le golfe de Guayaquil - est une région riche en ressources alimentaires, car elle offre une grande variété de produits, essentiellement agricoles, grâce à la fertilité naturelle des sols alluvionnaires. Ces conditions favorables furent amplifiées par les aptitudes agricoles et les capacités technologiques des populations Milagro-Quevedo. Ils mirent en place un vaste système de champs surélevés appelés *camellones*.
De plus, la position stratégique de cette zone stimula le transport, la communication et le commerce au sein d'un réseau d'échanges et d'alliances entre les cultures côtières et montagnardes.
Les peuples de Milagro-Quevedo profitèrent efficacement de ces circonstances pour consolider leur pouvoir politique local et régional grâce à l'émergence de chefferies et seigneuries prospères qui dominèrent la région, y compris après l'arrivée des Incas et des Espagnols.

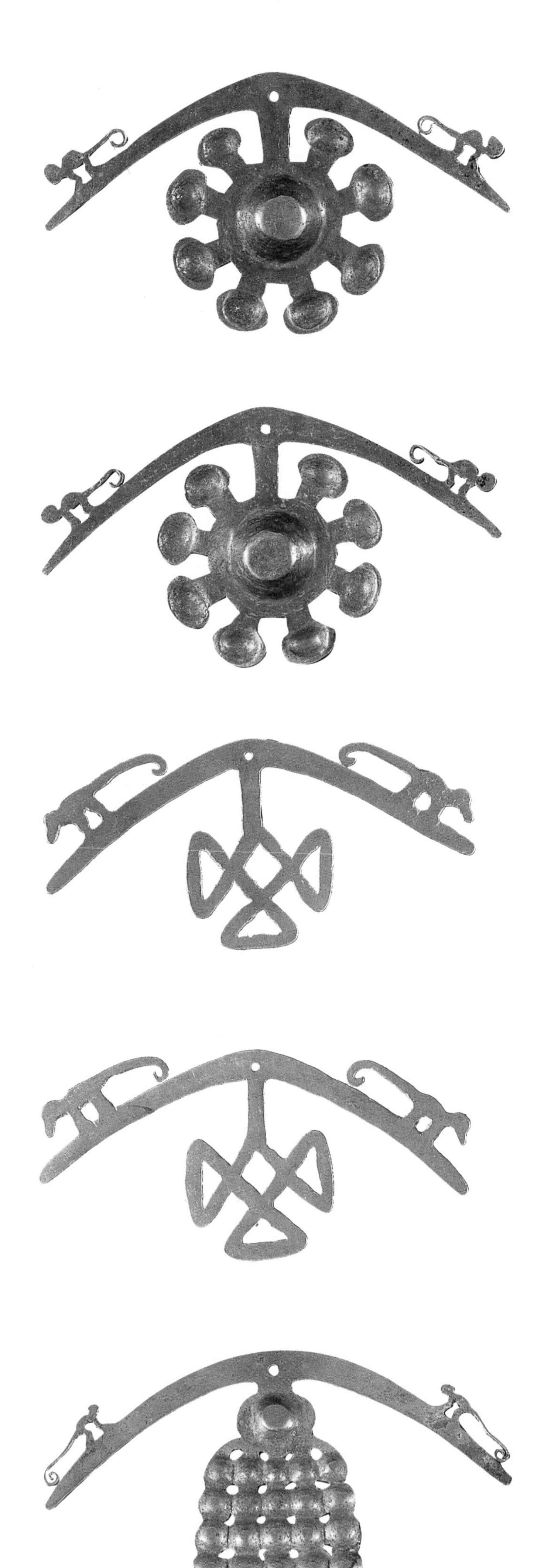

Equateur

El Carchi

Seule une organisation sociale fortement hiérarchisée a pu permettre la mobilisation de main d'oeuvre pour construire et entretenir les immenses champs surélevés (*camellones*) et le grand nombre de tertres (*tolas*) d'habitat ou funéraires qui forment parfois des ensembles de cinquante à cent monticules. Ces ouvrages véritablement monumentaux reflètent l'existence d'une importante division sociale du travail : d'une part une spécialisation en différents secteurs de l'activité artisanale et, d'autre part, la consolidation d'une direction politico-religieuse centralisée. Les terres inondables entre les cours d'eau furent utilisées pour construire les *camellones* qui sont des amoncellements longitudinaux de terre, en forme de sillons géants, continuellement entretenus par l'ajout de limon prélevé sur le contour, créant ainsi une tranchée pour l'écoulement des eaux. Périodiquement, les tranchées étaient nettoyées et le limon redéposé avec d'autres substances nutritives, ce qui permettait une exploitation permanente et efficace de ces champs surélevés. La résidence des chefs et les temples constituaient des symboles de pouvoir et des centres de consolidation hiérarchique. Cette réalité apparaît clairement dans les monticules funéraires contenant les restes de personnages de haut rang, ainsi que dans les monticules qui servaient de base à l'habitat ou dans les temples avec ou sans rampe d'accès. Les dimensions varient entre 8 et 20 mètres pour la hauteur et entre 5 et 60 mètres de diamètre pour la base.
La variété des objets en métaux indique que, pour la culture Milagro-Quevedo, la spécialisation technologique et artisanale avait atteint un stade très élevé et que les orfèvres bénéficiaient d'un grand prestige social. Il est évident que la possession, l'usage et la distribution d'objets en métal constituaient un signe supplémentaire de différenciation au sein du groupe.
Le cuivre fondu, l'argent et l'or servaient à fabriquer des ornements de nez, des ornements d'oreilles en forme de S ou de spirale, des grelots, des aiguilles, des hameçons, des pinces à épiler, de grandes et de petites haches, ces dernières étant destinées à être utilisées comme monnaie.
Les haches-monnaie constituent un trait spécifique de la culture Milagro-Quevedo. Toutes fabriquées avec un alliage de cuivre et d'arsenic qui leur conférait une plus grande rigidité et une couleur particulière, elles faisaient office d'une sorte de monnaie "primitive" pour le commerce à longue distance. Elles pouvaient accompagner, comme offrande funéraire, les inhumations des puissants seigneurs qui continuaient ainsi à affirmer, au-delà de la mort, le prestige de leur rang. Leur forme, leur taille, leur technique de

Page de gauche :

Pendentifs,
Musée de la Banque Centrale, Quito.
800 - 1530 ap. J.-C.
H : 6 cm - L : 12 cm en moyenne.

Masque funéraire,
Musée de la Banque Centrale, Quito.
800 - 1530 ap. J.-C.
H : 19,9 cm - L : 18,4 cm environ.

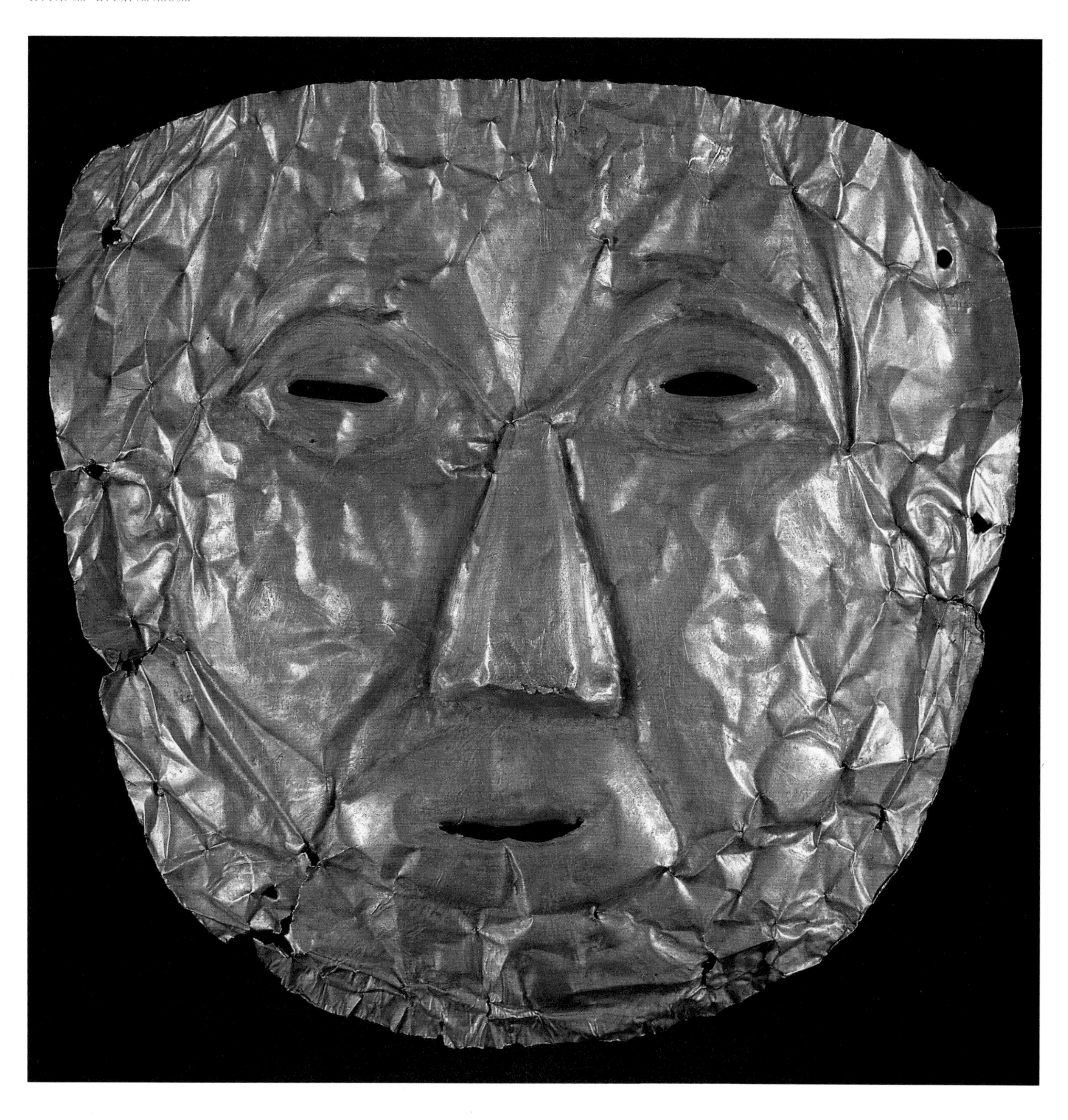

fabrication et leur disposition (en paquets) sont autant d'éléments qui suggèrent une standardisation, régionalement acceptée, reconnue et diffusée dans des contrées aussi lointaines que l'ouest mexicain et le Pérou.

EL CARCHI *Négatif-Carchi*

800 - 1530 après J.-C.

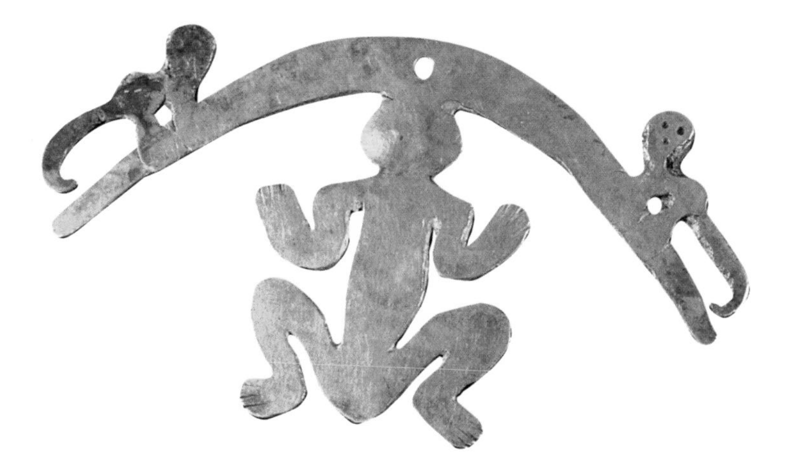

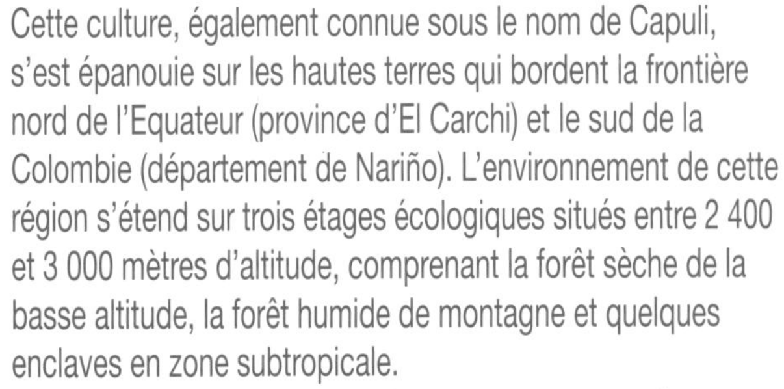

Cette culture, également connue sous le nom de Capuli, s'est épanouie sur les hautes terres qui bordent la frontière nord de l'Equateur (province d'El Carchi) et le sud de la Colombie (département de Nariño). L'environnement de cette région s'étend sur trois étages écologiques situés entre 2 400 et 3 000 mètres d'altitude, comprenant la forêt sèche de la basse altitude, la forêt humide de montagne et quelques enclaves en zone subtropicale.
Ces territoires avaient un intérêt tout particulier car ils permettaient d'entretenir un réseau d'échanges entre les groupes de la côte et ceux de l'Amazonie grâce auquel l'élite dirigeante s'approvisionnait en biens de prestiges et en matières premières.
Les principaux produits de prestige étaient la coca, le piment et le sel tandis que les matières premières de base étaient le coton, utilisé pour la fabrication des couvertures, et l'or alluvial destiné à l'élaboration d'ornements.
L'originalité de cette culture peut s'observer au travers de sa céramique et de son architecture funéraire. La céramique d'El Carchi consiste en coupes munies d'un piédestal, en vases anthropomorphes généralement décorés de motifs géométriques, réalisés suivant la technique de la peinture négative (noir sur rouge). Les figurines de terre cuite appelées *coqueros* sont un autre trait caractéristique de cette culture. Il s'agit de représentations de membres de l'élite, assis sur un petit banc, avec une petite boule à l'intérieur d'une joue, indiquant qu'ils sont en train de mastiquer de la coca. Les statuettes de musiciens jouant de la flûte courante et de la flûte de pan sont également très nombreuses.

Les tombes d'El Carchi sont célèbres en raison de leur profondeur ; certaines pouvaient atteindre 40 mètres tandis que d'autres, plus petites, ne descendent qu'à quelques mètres dans le sol. Ces différences sont liées au statut social des individus. Ces tombes sont constituées d'un puits

Page de gauche :

Pendentifs,
Musée de la Banque Centrale, Quito.
800 - 1530 ap. J.-C.
H : 5 cm - L : 9 cm en moyenne.

Ornements de nez,
Musée de la Banque Centrale, Quito.
800 - 1530 ap. J.-C.
H : 4.5 cm - L : 12.7 cm.
H : 4.5 cm - L : 16.6 cm.

Cañari

Ornement de nez,
Musée de la Banque Centrale, Quito.
500 - 1530 ap. J.-C.
H : 4.1 cm - L : 7.1 cm.

vertical qui débouche au fond sur une chambre funéraire latérale où le corps du défunt était déposé avec ceux de ses épouses et de ses serviteurs, spécialement sacrifiés pour l'accompagner dans l'Au-delà. Certains rapports signalent, occasionnellement, l'existence de tombes où plusieurs chambres latérales auraient été excavées à différentes profondeurs du puits ; ce qui indique une utilisation de la même sépulture à différents moments par les membres d'une même lignée.
Le mobilier funéraire, dans les sépultures, était constitué de coquillages, perles marines, pièces d'orfèvrerie, céramiques et restes de textiles.
Les musées équatoriens et colombiens possèdent un bon échantillonnage de ce matériel archéologique qui comprend des parures du visage comme des ornements de nez en feuille ou tubulaires à décor géométrique, des ornements d'oreilles tubulaires ou en fil, des récipients cérémoniels, des pectoraux en feuille circulaire ornés d'un visage humain, des fibules, des disques, des colliers, des masques, des pendentifs en forme de demi-lune portant des dessins zoomorphes (essentiellement des singes, animaux complètement étrangers au milieu andin, soulignant ainsi l'existence de liens, par le commerce, entre la forêt tropicale occidentale et orientale).

LES CAÑARI 500 - 1530 après J.-C.

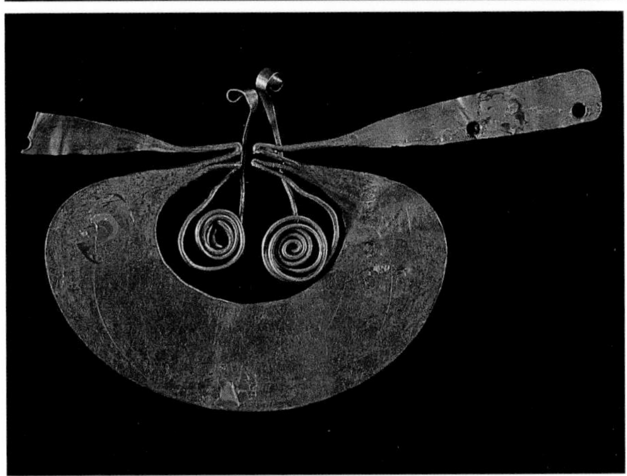

Dans la partie méridionale de la Sierra équatorienne (provinces actuelles de Cañar et d'Azuay et certaines régions des provinces de Loja et de Chimborazo) vivaient, au cours des derniers siècles de l'époque précolombienne, des peuples qui partageaient une langue commune (avec divers dialectes locaux), un ensemble de traits culturels et de coutumes au travers desquels ils furent identifiés comme des composantes de la "nation" Cañari.
La population était organisée en grandes seigneuries (ou groupes politiques autonomes), dirigées par un personnage puissant appelé Curaca. Chaque seigneurie occupait un territoire défini par des limites précises. Les zones marginales étaient à l'origine de perpétuels affrontements de frontières pour contrôler l'exploitation des ressources (sel, minerai, chasse, etc...) existantes. La société Cañari était divisée entre une élite guerrière très puissante et fortunée et une population servile appauvrie. Certes, entre ces deux extrêmes, il y avait des individus qui affichaient une richesse relative (comme l'indique le mobilier funéraire qui les accompagne dans les tombes) : chamanes, guérisseurs (hommes et femmes) artisans, chasseurs et, peut-être, les guerriers.
L'économie reposait essentiellement sur l'agriculture, complétée par la chasse, le commerce ou l'échange (surtout des minerais et probablement des objets en métal) pratiqués avec des populations étrangères. Il semble, qu'en plus des métaux, des tissus et des produits dérivés de la chasse étaient échangés.
D'un point de vue archéologique, les Cañari sont d'abord connus pour la richesse de l'orfèvrerie découverte dans les tombes des seigneurs et des dignitaires ainsi que par leurs deux traditions céramiques : celle de Cashaloma et celle de Tacalshapa. La première est originaire du nord de la province de Cañari et du sud de celle de Chimborazo. Elle semble relativement tardive et son apogée correspond à l'intégration du territoire Cañari à l'empire inca. A cette époque, elle s'est diffusée plus au sud et on la rencontre dans la

Médaillon, culture Cañari - Musée de la Banque Centrale, Quito. 500 - 1530 ap. J.-C. - Ø : 8,8 cm.

Médaillon, culture Cañari - Musée de la Banque Centrale, Quito. 500 - 1530 ap. J.-C. - O : 6,5 cm.

capitale régionale inca de Tombamba. A l'inverse, la tradition céramique Tacalshapa a une histoire beaucoup plus longue et plus complexe. Elle perdura environ mille ans (approximativement de 500 à 1 500 après J.-C.). Elle se rencontre principalement sur les territoires de la province d'Azuay et au sud de celle de Cañar.
En ce qui concerne l'architecture, les Cañari construisaient leurs maisons sur des plates-formes artificielles en terre, de forme plus ou moins ovale, avec un revêtement extérieur ou un mur de contention en pierres non équarries. Les maisons étaient construites en branchages et en terre avec un toit de paille.
La société Cañari était particulièrement belliqueuse, tout au moins son élite dirigeante. Cela explique que les Incas enrolèrent certains groupes comme forces de choc et troupes de garde. Durant la colonisation, les autorités espagnoles les utilisèrent comme force de police. Les différents groupes Cañari pratiquaient périodiquement l'affrontement guerrier rituel, coutume qui s'est maintenue jusqu'à nos jours chez les Indiens de la région sous la forme d'un contrat rituel appelé "*jeu du fortin*".
Dans le domaine de la métallurgie, la culture Cañari travaille surtout l'or, le cuivre et un peu l'argent. Un grand nombre d'ornements (couronnes, diadèmes, plaques, etc...) et d'armes en or fut découvert dans les tombes des dignitaires. Pour l'ornement, il s'agit de plaques repoussées qui recouvrent les extrêmités ou des parties de bâtons de commandement de propulseurs. L'or, comme l'argent, semble avoir été réservé à l'usage exclusif des seigneurs ou des membres de l'élite, qui se le procuraient en grandes quantités. Le cuivre était d'un usage plus courant, que ce soit pour les ornements, les armes ou les ustensiles utilitaires. A l'exception de quelques ornements de petite taille pour lesquels le cuivre était utilisé pur, les objets étaient généralement fabriqués avec un matériel enrichi à l'arsenic afin qu'ils soient d'une plus grande dureté. Les objets ainsi obtenus étaient des ornements d'oreilles (massifs ou creux), de nez, des *tupu* (fibules pour maintenir le vêtement féminin) à tête plate ou annulaire, des haches et des crochets de propulseurs (dont certains en forme de figures humaines ou animales). Ils étaient fabriqués selon les techniques du moulage, du repoussé, du martelage et de l'assemblage de plusieurs éléments avec des fils. La soudure ne semble pas avoir été pratiquée.
Le minerai était d'abord fondu dans des moules afin d'être préformé sous l'aspect de lingots ou de fils. Les objets étaient ensuite réalisés par martelage, afin de les durcir et de les affiner, au repoussé ou au martelage fin (avec des outils appropriés), techniques qui permettaient de réaliser le décor en relief ou par enlèvement.

Page de gauche :

Pectoraux,
Musée de la Banque Centrale, Quito.
800 - 1530 ap. J.-C.
O : de 8,7 à 10,1 cm.

LES INCAS 1470 - 1533 après J.-C.

L'immense empire des Incas, ou Tahuantinsuyo, constituait au début du XVIème siècle l'un des états les plus vastes du monde à cette époque. Il s'étendait sur la majorité de la cordillère des Andes, du côté occidental de l'Amérique du sud, recouvrant un territoire qui correspond aujourd'hui aux républiques d'Equateur, du Pérou, de Bolivie, à une grande partie du Chili et de l'Argentine et à l'extrême sud de la Colombie. Il fut l'état le plus grand et le mieux organisé de toute l'Amérique préhispanique, regroupant sur son territoire de hautes régions glacées et des steppes froides, des vallées tempérées et des forêts pluvieuses, ainsi que des déserts torrides parsemés de fertiles oasis. Le tout fut unifié en moins d'un siècle par de continuelles campagnes militaires de conquêtes, organisées par un petit peuple issu de la vallée de Cuzco, dans la sierra méridionale du Pérou. La nation inca, devenue l'élite dominante d'un empire si important, n'a pas dépassé les 40 000 individus. Elle contrôla cependant directement et avec rigueur des ethnies différentes, très souvent ennemies, représentant une population d'environ 10 millions d'âmes.
Le chef suprême de cet empire était le Sapan Inca, supposé avoir été élevé à cette dignité par le dieu Inti, le soleil, divinité officielle de l'Etat. Le souverain était choisi parmi la plus haute hiérarchie, au sein d'une des familles les plus importantes de l'élite de Cuzco, la capitale de l'Empire. Certains s'étaient établis dans les différents centres administratifs répartis dans l'Empire, afin d'exercer un contrôle direct, efficace et fidèle de tout le territoire et des divers peuples qui formaient l'état inca, depuis Caranqui, au nord de l'Equateur, jusqu'à Santiago du Chili, au centre du Chili actuel.

Une multitude de garnisons, constituées de troupes fidèles, avaient été dispersées dans l'Empire. Elles étaient commandées par des officiers de Cuzco afin d'éviter les rébellions contre les autorités incas et dans le but de résister aux invasions tout au long des immenses frontières.
Le principal fondement de l'économie inca était l'agriculture. Elle fournissait la grande majorité des ressources alimentaires pour la population de l'Empire. Dans les régions d'altitude, l'élevage des camélidés (lama, alpaga) jouait un rôle important pour la production de laine, de cuir, d'os (matière première utilisée pour un grand nombre d'ustensiles), ainsi que pour assurer l'existence d'un moyen de transport efficace. Un complément alimentaire était fourni par la chasse et la pêche sur la côte Pacifique, dans les lagunes et le long des rives des principales voies fluviales. Pour garantir une production agricole constante et abondante, d'énormes ouvrages furent construits, qui permirent la préservation des sols, l'amélioration de leurs qualités, l'aménagement des fortes déclivités et des zones trop sèches ou marécageuses. Ces ouvrages consistaient essentiellement en terrasses et en vastes systèmes d'irrigation. La terre, théoriquement propriété de l'Etat, était cultivée par les populations locales ou par des "*mitimaes*" (population déplacée par l'Etat loin de son pays d'origine). Une partie de la production revenait aux paysans, une autre était réservée aux besoins de l'Etat et de l'élite inca et une troisième était attribuée au service du culte, des prêtres, des temples et des sanctuaires. Un magnifique réseau de chemins principaux et secondaires, de plus de 25 000 kilomètres, facilitait l'efficace coordination administrative de l'Empire et le contrôle sévère des populations soumises. Les voyageurs disposaient d'hébergements (*tambos*) régulièrement disposés tous les 20 à 30 kilomètres. Ces relais comprenaient des dépôts d'alimentation et de vêtements ainsi que du personnel de service permanent. Tous les deux ou trois kilomètres, il y avait des postes de courriers (*chasqui*) qui, nuit et jour,

assuraient un système de messagerie permanent et rapide permettant de relier les autorités de la capitale à tous les centres administratifs et aux garnisons des provinces.
Tous les centres de l'administration impériale possèdaient des magasins de stockage (*colas*) pour les vêtements, les aliments, les armes et divers ustensiles destinés aux fonctionnaires, aux soldats ou à toute personne travaillant pour l'Etat. Il y avait également des ateliers d'artisans, contrôlés par l'Etat, qui produisaient des tissus, des armes, des outils, des céramiques, destinés à l'élite et à l'Etat.
Le stockage et la production étaient contrôlés par des systèmes de comptabilité à base de cordelettes et de noeuds (*quipu*).
La religion inca rendait un culte à un grand nombre de divinités dans des temples de différentes catégories, aussi bien dans la capitale que dans les provinces. Ces cultes nécessitaient les services permanents d'une multitude de prêtres et d'un personnel auxiliaire. Cependant le dieu principal et officiel de l'Etat était le soleil (*Inti*). Ses temples étaient les édifices les plus somptueux de l'Empire. Ils étaient répartis sur l'ensemble du territoire inca.
Les Incas, extraordinaires administrateurs, stratèges et bâtisseurs, ne se distinguèrent pas dans le domaine des innovations technologiques. Ils surent toutefois profiter des progrès réalisés par les différents groupes qu'ils avaient conquis. Ils organisèrent avec efficacité la production massive et exercèrent un contrôle sévère de la qualité sur les outils, les tissus, les armes, les récipients en terre cuite ou en métal, les objets rituels, les ornements etc…
Dans le domaine de la métallurgie, les Incas réservaient à l'usage de l'élite, de la religion et de l'Etat, les objets en or et en argent car ils considéraient ces deux métaux comme particulièrement précieux et les identifiaient au soleil et à la lune. Ils produisaient en or et en argent des ornements, des objets à usage personnel, des récipients et d'autres ustensiles destinés à l'Inca et au culte ou à la décoration des temples et des palais.
Le métal utilisé de manière plus courante dans toute les Andes, depuis de nombreux siècles avant l'époque inca, fut le cuivre et ses alliages. Il était employé pour la fabrication soit d'outillage, soit d'armement, soit d'ornements à usage populaire. Dans cette partie du monde, deux techniques de travail distinctes étaient pratiquées. Dans la partie nord des Andes, le cuivre pouvait être travaillé à l'état pur ou mélangé à de l'arsenic pour le durcir. Dans la zone sud, le renforcement du métal était obtenu avec un alliage à base d'étain, qui donnait ainsi du bronze.
Sans empêcher les vassaux septentrionaux de continuer à produire des outils, des armes et des ornements en alliage cuivre-arsenic pour leur propre usage ou celui de l'Etat, les Incas diffusèrent dans tout l'Empire la technique de fabrication du bronze qui était supervisée par l'administration.

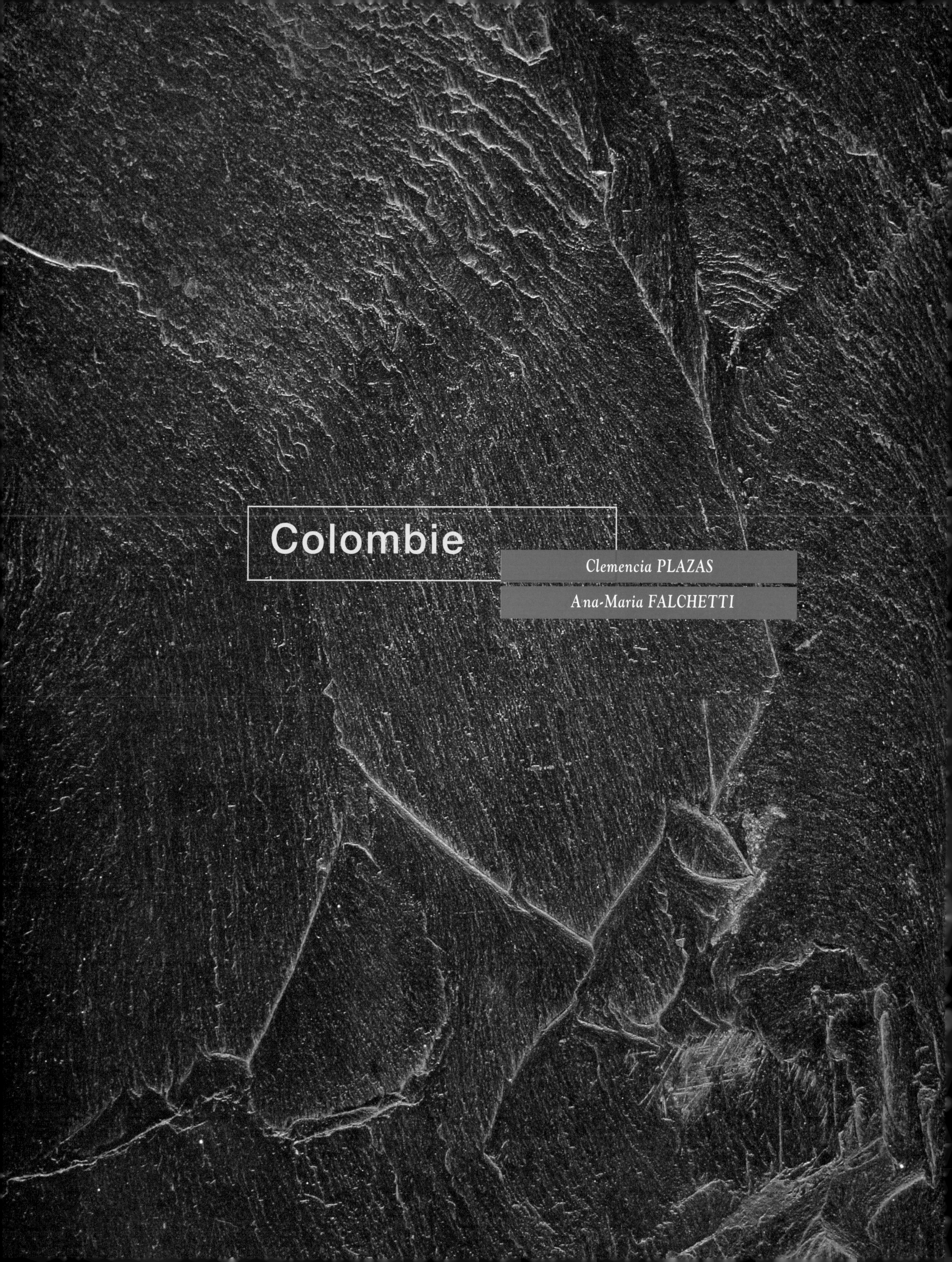

Colombie

Clemencia PLAZAS

Ana-Maria FALCHETTI

Tumaco
500 av. J.-C. - 100 ap. J.-C.

San Agustin
500 av. J.-C. - 800 ap. J.-C.

Calima
300 av. J.-C. - 1200 ap. J.-C.

Tierradentro
200 - 800 ap. J.-C.

Tolima
300 - 1000 ap. J.-C.

Quimbaya
300 - 1000 ap. J.-C.

Sinu
450 - 1500 ap. J.-C.

Tairona
600 - 1560 ap. J.-C.

Nariño
650 - 1200 ap. J.-C.

Muisca
700 - 1560 ap. J.-C.

Cauca
900 - 1530 ap. J.-C.

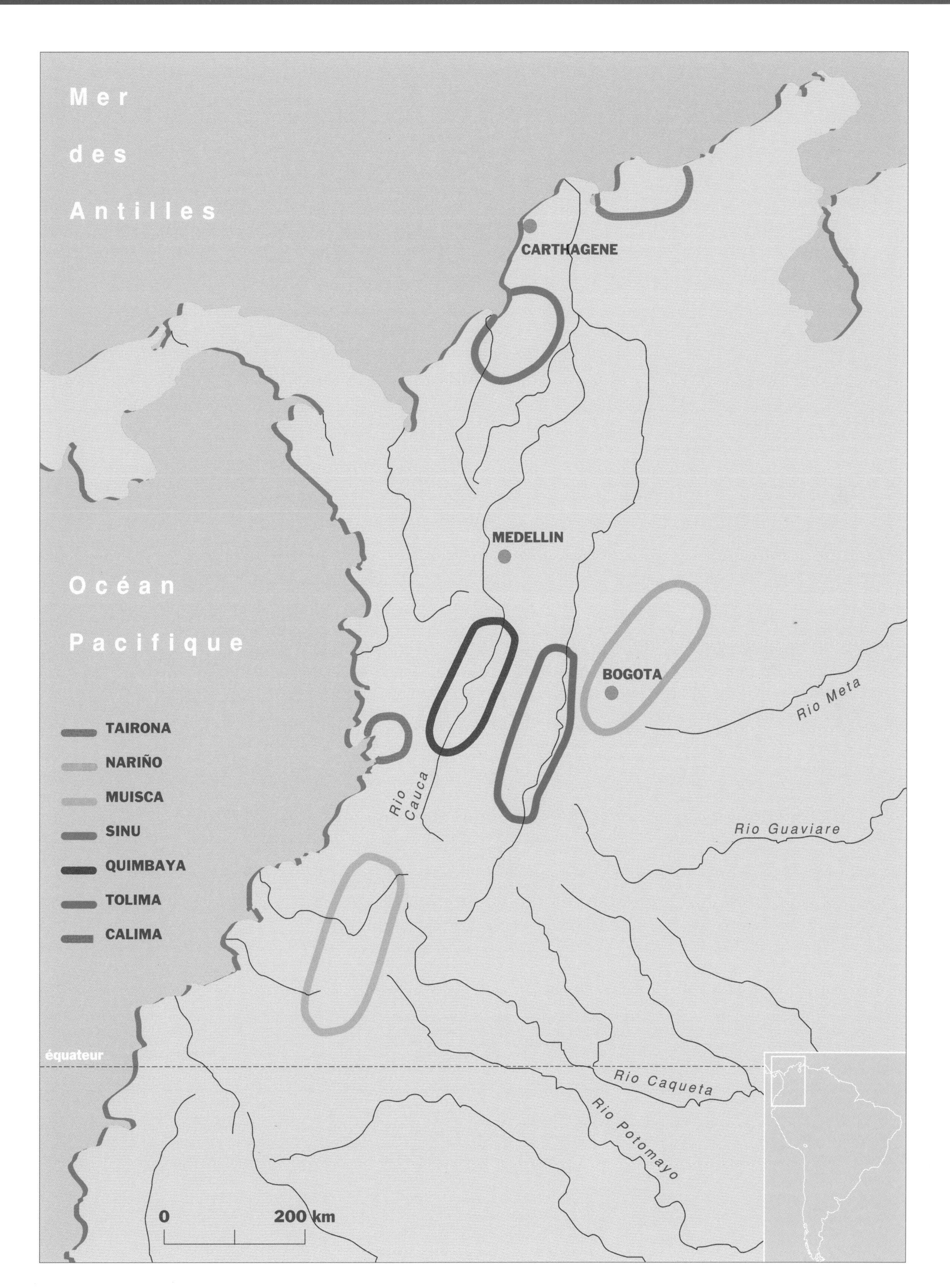
Mer
des
Antilles
CARTHAGENE
MEDELLIN
Océan
Pacifique
BOGOTA
Rio Meta
TAIRONA
NARIÑO
MUISCA
SINU
QUIMBAYA
TOLIMA
CALIMA
Rio Cauca
Rio Guaviare
équateur
Rio Caqueta
Rio Potomayo
0
200 km

Culture Calima
Pendentif
Musée de l'or, Bogota.
300 av. J.-C. - 1200 ap. J.-C.
H : 5,6 cm, L : 3 cm

1 et 2 - Epingles avec figures anthropomorphes
Musée de l'or, Bogota.
300 av. J.-C. - 1200 ap. J.-C.
H : 25,8 cm (1), 30,5 cm (2)

Un long processus d'évolution

culturelle permit, en Colombie, l'émergence de sociétés évoluées. Certaines, ayant une organisation sociale développée, réussirent à maîtriser les techniques de métallurgie et à développer un système économique efficace, fondé sur l'agriculture et l'échange. Les chefs politiques et religieux, étroitement associés, se servirent de l'or pour consolider leur prestige et assurer la cohésion sociale.
Durant 1500 ans, entre 500 avant J.-C. et 1000 après J.-C., une tradition de la métallurgie s'est épanouie dans le sud-ouest colombien sur les territoires des aires archéologiques de Tumaco, Calima, San Agustin, Tierradentro, Tolima, Quimbaya et Nariño. Elle constitue la plus ancienne orfèvrerie de Colombie et se distingue par des pièces martelées dans un métal d'une grande pureté. L'essor des cultures du sud-ouest décline vers l'an mil de notre ère, lorsque d'autres groupes viennent peupler la zone.
Le centre et le nord du pays furent occupés par des populations qui étaient encore en place au moment de la conquête espagnole. Bien qu'ayant développé des styles d'objets en métaux différents, ils ont en commun l'utilisation préférentielle de la fonte d'alliages d'or et de cuivre.
La région Sinu, dans les plaines tropicales de la Caraïbe, atteint son développement maximum vers les débuts de notre ère. Dans les zones montagneuses des régions Taïrona et Muisca, peuples de langue Chibcha, la stabilité socio-politique de ces groupes n'est réalisée qu'à partir de l'an 900 de notre ère.

1

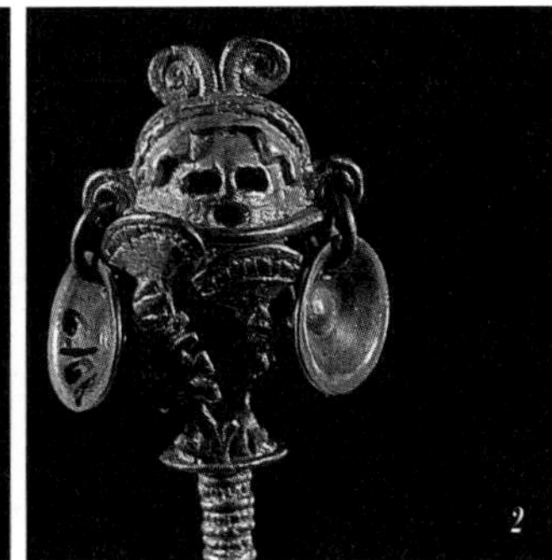
2

Calima

1- Pectoral - Musée de l'or, Bogota.
300 av. J.-C. - 1200 ap. J.-C.
H : 18 cm - L : 22,5 cm.

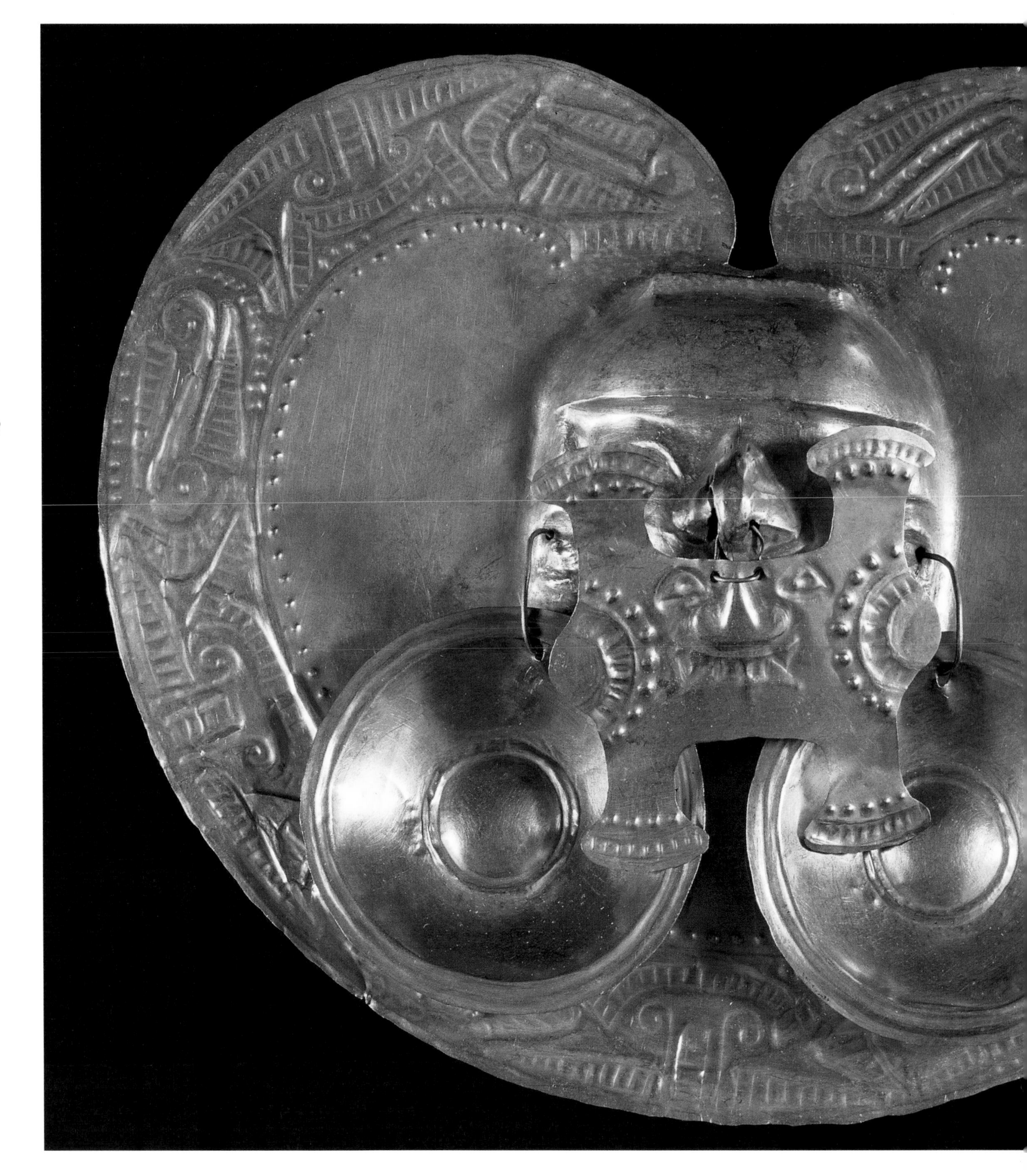

2- *Ornement de nez - Musée de l'or, Bogota.*
300 av. J.-C. - 1200 ap. J.-C.
H : 10.9 cm - L : 16.6 cm.

CALIMA 300 avant J.-C. - 1200 après J.-C.

Les vallées des fleuves qui descendent de la cordillère occidentale vers le Pacifique furent densément peuplées et utilisées comme accès aux territoires andins. Durant le premier millénaire de notre ère, lors de la période appelée Ilama, les hauts cours des fleuves Calima et Dagua étaient habités par des agriculteurs sédentaires, initiateurs d'un long processus de développement local.
Vers les débuts de notre ère, les populations augmentèrent et diffusèrent leur influence sur les régions voisines. Cultivateurs de maïs, ils transformèrent le paysage de collines et de vallées en construisant des terrasses pour les maisons, des zones de culture et des canaux de drainage. Cette période, appelée Yotoco, est celle de la plus grande production d'orfèvrerie dans la région de Calima. De complexes et somptueuses parures contribuaient au prestige de ceux qui les portaient, puis les accompagnaient dans la tombe. Les objets en or et les céramiques montrent des représentations complexes où les caractères humains et animaux sont mélangés.
Les causes de la disparition de cette culture sont inconnues, mais les découvertes archéologiques démontrent que vers le Xème siècle de notre ère, la région fut occupée par un groupe différent qui perdura jusqu'à la conquête espagnole.

TUMACO* 500 avant J.-C. - 100 après J.-C.

La plaine côtière du Pacifique, depuis les mangroves jusqu'aux forêts tropicales du piémont andin, offre des ressources variées propices à l'installation humaine. Les sols fertiles et la faune aquatique furent exploités pendant plus de 4000 ans par les anciens habitants de la région.
Ils établirent leurs villages à proximité des estuaires et développèrent un système économique efficace, fondé sur la pêche et l'agriculture du maïs. Ces conditions permirent l'apogée de la culture Tumaco et de la région voisine de la Tolita en Équateur, il y a plus de deux mille ans.
De nombreuses figurines de terre cuite, faites au moule, reproduisent fidèlement des individus, des malades, des femmes enceintes, des scènes familiales et érotiques qui permettent d'appréhender certains aspects de la vie quotidienne.
Favorisés par les riches alluvions aurifères du versant Pacifique, ces hommes furent d'habiles orfèvres. L'exploitation minière et le travail de l'or sont des traditions qui, encore actuellement, se sont maintenues dans la zone comme par exemple à Barbacoas et à Condoto.

* *Correspond à la Tolita en Equateur.*

Nariño

1 et 2 - Pectoraux - Musée de l'or, Bogota.
650 - 1200 ap. J.-C.
0 : 11,6 cm.

3 - Pendentif d'ornement d'oreille.
Musée de l'or, Bogota.
650 - 1200 ap. J.-C.
H : 14 cm - L : 10 cm.

1

2

3

SAN AGUSTIN

500 avant J.-C. - 800 après J.-C.

Le massif colombien, là où la cordillère se divise en deux branches et où naissent les fleuves Cauca et Magdalena, fut le théâtre du long développement de la culture de San Agustin.
Depuis plus de deux mille ans, des agriculteurs-sédentaires s'étaient dispersés sur un territoire d'environ 500 kilomètres carrés. Terrasses et canaux alternent avec des monticules artificiels recouvrant des tombes monumentales, aux entrées gardées par des statues de pierre et aux corridors de dalles conduisant aux chambres funéraires où les personnages étaient enterrés avec des offrandes de poteries et parfois d'objets en or.
La statuaire de San Agustin, à l'expression agressive, représente des individus en armes tenant des têtes-trophées, des êtres aux parures complexes, des rapaces, des serpents, des jaguars et d'autres animaux mythiques. Le thème du jaguar est prédominant ; pour de nombreux peuples américains cet animal symbolise des forces opposées : pouvoir-fertilité et destruction de l'ordre social. Les statues d'homme-jaguar sont associées au chamane, chef religieux qui a le pouvoir de se transformer afin de maintenir l'équilibre entre les forces contradictoires.
Pour des raisons inconnues, la culture de San Agustin s'éteint environ 800 ans avant l'arrivée des Espagnols.

NARIÑO

650 - 1200 après J.-C.

A l'extrême sud du pays, l'altiplano de Nariño fut occupé vers le VIIème siècle de notre ère par un peuple dont la production d'orfèvrerie est en relation avec la tradition métallurgique du sud-ouest colombien. Appelée Capuli, cette culture s'est étendue au nord de l'Équateur à travers la zone andine et a établi des relations commerciales avec les populations du versant et du littoral Pacifique.
Représentations humaines et animales, vases aux formes variées et riches offrandes en or furent déposés dans des tombes à puits pouvant atteindre 30 à 40 mètres de profondeur et débouchant sur une chambre funéraire latérale.
Vers le VIIIème siècle de notre ère, la région fut également occupée par une autre population connue sous le nom de Piartal. Ces communautés bâtirent leurs maisons sur les montagnes et aménagèrent les pentes en terrasses artificielles pour obtenir une abondante production agricole. Elles fabriquèrent, grâce à des technologies sophistiquées, des objets en céramique et en bois, des textiles et des ornements en or qui présentent des caractéristiques uniques dans le panorama de l'orfèvrerie de l'ensemble du pays.
Leurs descendants, connus en tant que culture Tuza, habitaient toujours la région au moment de la conquête espagnole. Ils ressentirent l'influence tardive de l'empire inca, dont l'expansion avait atteint le fleuve Angasmayo, prés de l'actuelle frontière entre la Colombie et l'Équateur.

“Quand je danse ainsi, l’or sacré brille et je vois mon ombre énorme passer sur les murs.

Les anciens dansaient de cette façon avec l’or sacré.”

Pendentif en forme de caïman
Culture Quimbaya
Musée de l'or, Bogota.
200 - 1500 ap. J.-C.
H : 30 cm - L : 6 cm.

Quimbaya

1- Pectoral - Musée de l'or, Bogota.
200 - 1500 ap. J.-C.
H : 17,2 cm - L : 12,5 cm.

2 - Pectoral - Musée de l'or, Bogota.
200 - 1500 ap. J.-C.
H : 7,6 cm - L : 7,3 cm.

3 - Pectoral - Musée de l'or, Bogota.
200 - 1500 ap. J.-C.

1

2

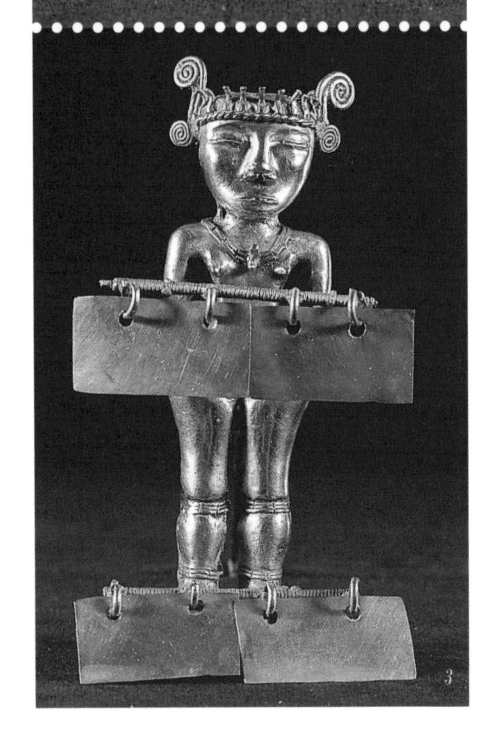

3

QUIMBAYA 200 - 1500 après J.-C.

Depuis les premiers siècles de notre ère, les versants au climat tempéré de la vallée moyenne du fleuve Cauca furent peuplés par des communautés qui participèrent au grand essor culturel du sud-ouest colombien. Désignée sous l'appellation de Quimbaya classique cette culture produisit une orfèvrerie remarquable par sa qualité technique et son réalisme. Les Quimbaya furent innovateurs dans les techniques métallurgiques et diffusèrent leur influence sur une vaste zone qui recouvre le centre, le nord de la Colombie et la basse Amérique centrale.

Vers le Xème siècle de notre ère, après l'apogée culturelle de ces anciennes populations, la vallée moyenne du fleuve Cauca fut habitée par des communautés différentes qui survécurent jusqu'à la conquête espagnole. Ces nouveaux groupes, organisés en villages de maisons circulaires, enterraient leurs morts dans des tombes à puits avec une chambre latérale, regroupées en vastes nécropoles. Ils utilisèrent des alliages d'or et de cuivre et les techniques de fontes pour réaliser des ornements de nez et d'oreilles, des pectoraux et d'autres bijoux.

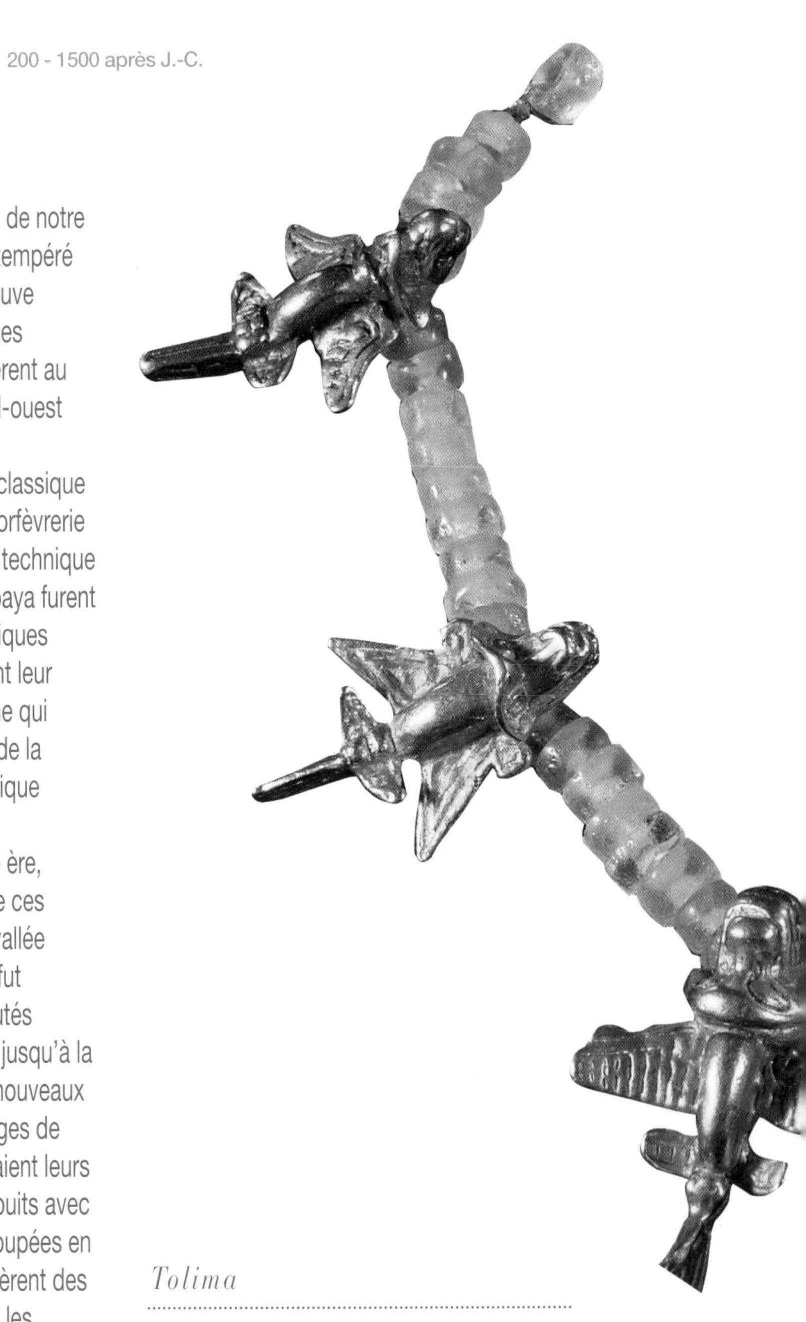

Tolima

4 - Collier avec pendentifs - Musée de l'or, Bogota.
300 - 1000 ap. J.-C.
Dim. pendentifs : H : 3,6 cm - L : 2,7 cm.

TOLIMA 300 - 1000 après J.-C.

La vallée du fleuve Magdalena, principal axe fluvial de Colombie, fut une importante zone de passage de populations et d'échanges commerciaux, comme l'indiquent les influences exercées dans la région par les cultures du sud, du centre et du nord du pays. Depuis les débuts de l'ère chrétienne, période d'apogée culturel du sud-ouest colombien, il y eut une importante production d'orfèvrerie, favorisée par les riches alluvions des affluents du Magdalena. L'or récupéré était travaillé dans la région et les excédents constituaient un article commercial important qui alimentait les orfèvres des régions voisines.
A l'arrivée des Espagnols, la zone était peuplée par de nombreux groupes, de langue caraïbe, qui ne s'associaient que pour faire la guerre.

Tolima

4 - Collier de pendentifs
Musée de l'or, Bogota
300 - 1000 ap. J.-C.
Dim. pendentifs : H : 3,4 cm - L : 1,1 cm

Quimbaya

6 - Ornements de nez
Musée de l'or, Bogota
200 - 1500 ap. J.-C.
H : 2,7 cm - L : 4,6 cm
H : 2,2 cm - L : 3,3 cm

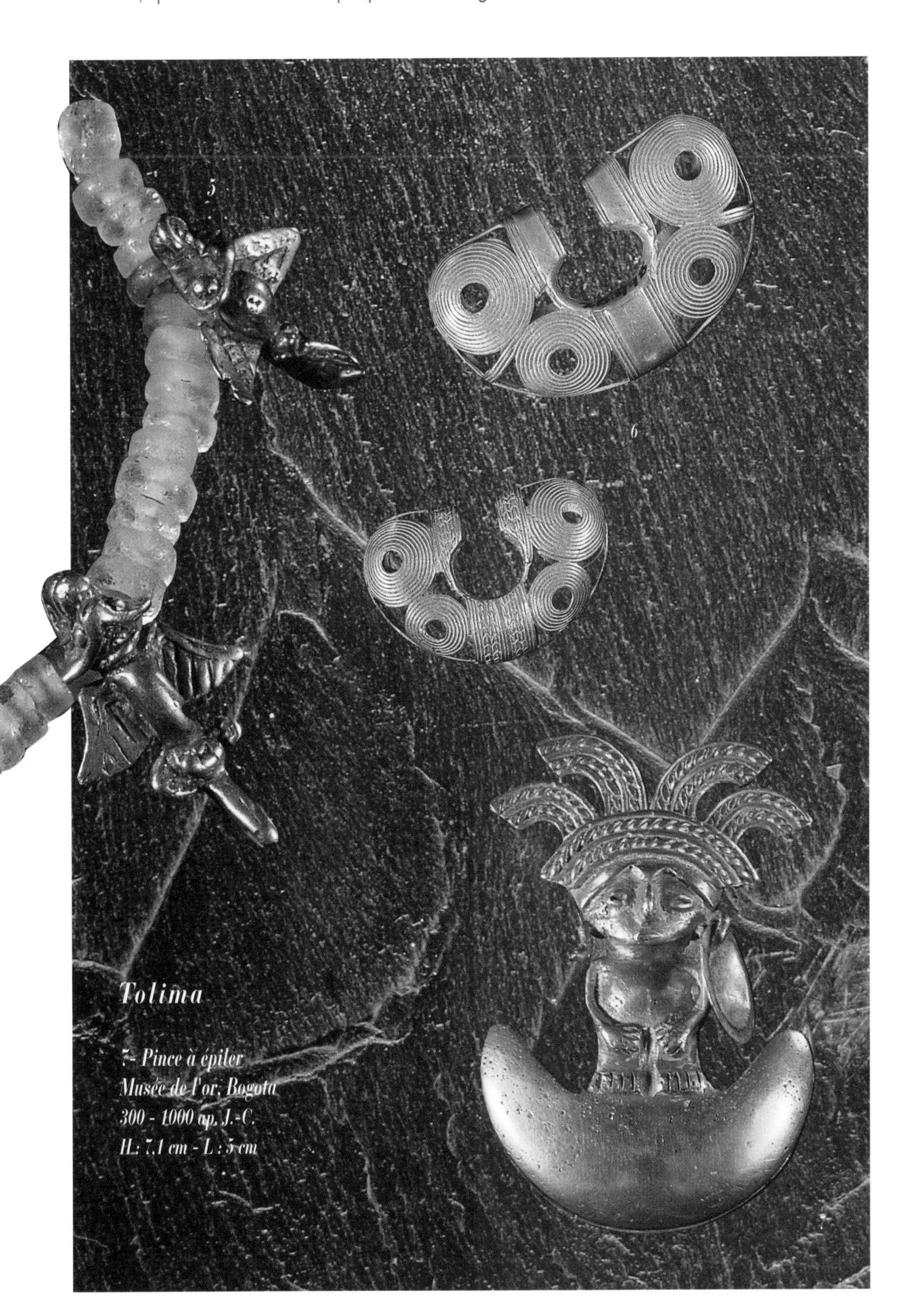

Tolima

7- Pince à épiler
Musée de l'or, Bogota
300 - 1000 ap. J.-C.
H: 7,1 cm - L : 5 cm

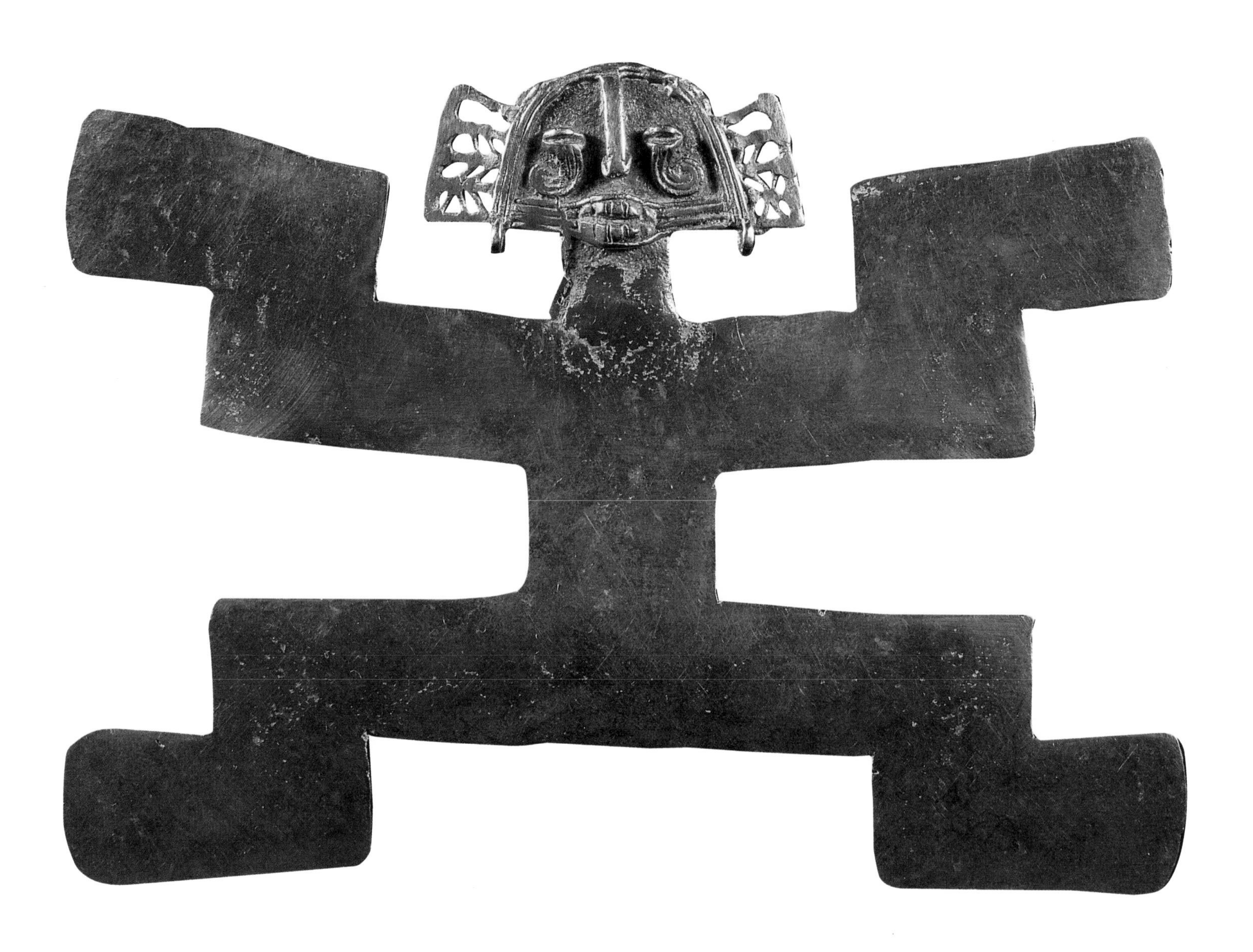

Pectoral - Culture Tolima - Musée de l'or, Bogota.

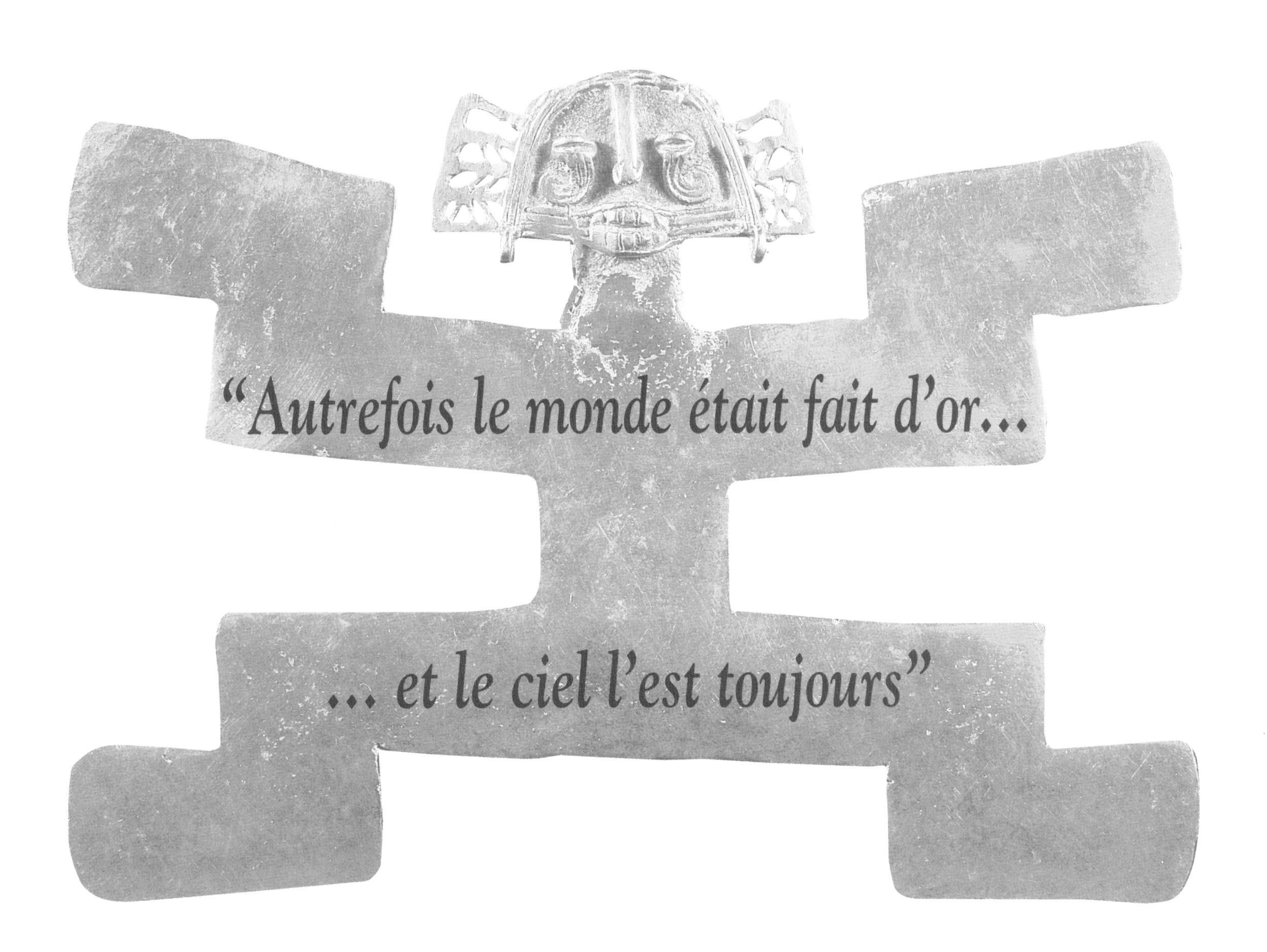
"Autrefois le monde était fait d'or...
... et le ciel l'est toujours"

300 - 1000 ap. J.-C. - H : 12 cm - L : 16 cm.

Tolima

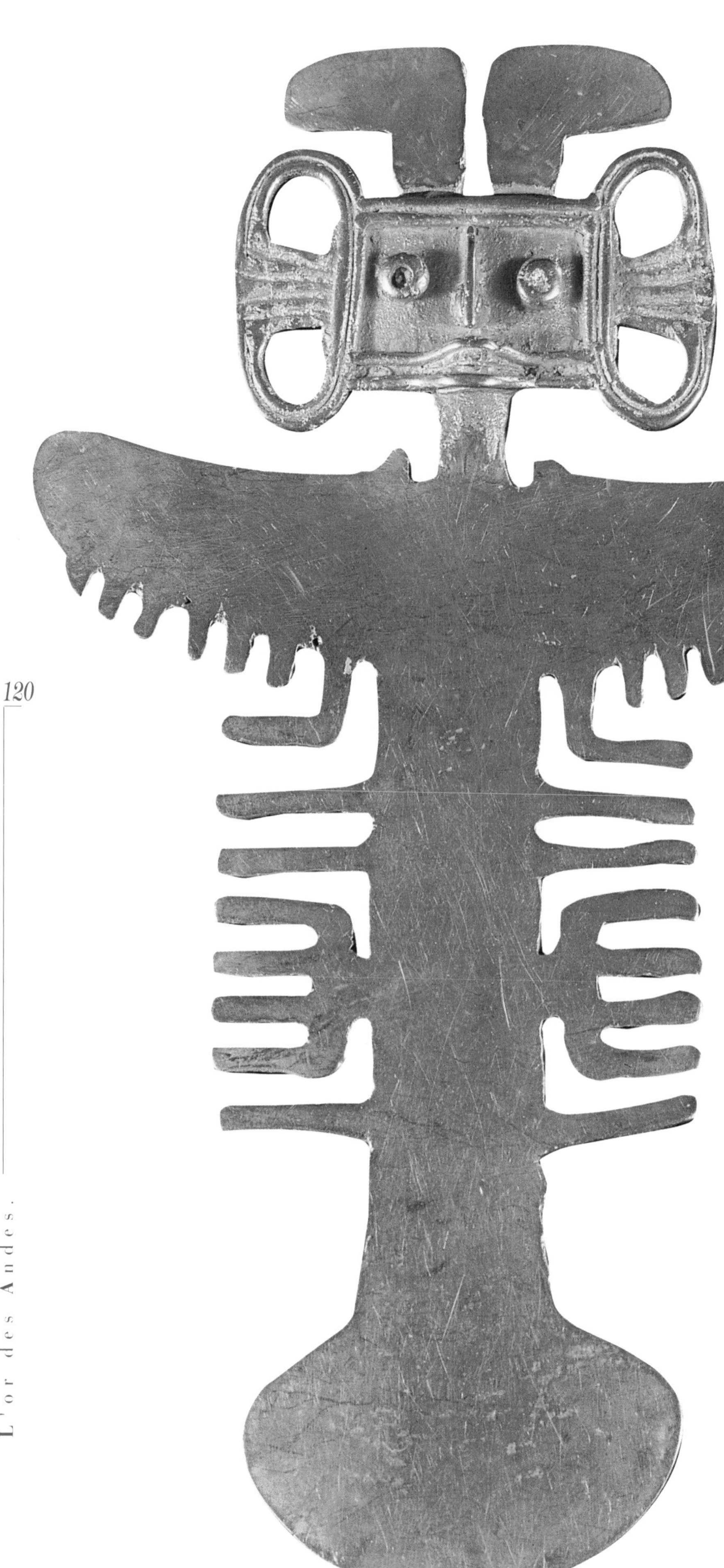

Pectoral - Musée de l'or, Bogota.
300 - 1000 ap. J.-C.
H : 10,7 cm - L : 4,5 cm.

CAUCA 900 - 1530 après J.-C.

La région du haut fleuve Cauca, dans le sud-ouest colombien, fut occupée après le VIIIème siècle de notre ère par une population qui produisit une orfèvrerie remarquable pour ses qualités technique et décorative. On distingue, entre autres, des pendentifs et des pectoraux, de dimensions variées, en forme de rapaces et d'hommes oiseaux. Les plus élaborés sont ornés d'une figure centrale, représentant un homme avec un bec d'oiseau, associée à des petites représentations zoomorphes. En dehors des objets en or, les tombes contenaient des céramiques spectaculaires représentant des personnages portés en litières ou assis sur des bancs. Ils sont ornés de peintures faciales, de tatouages, de colliers et sont parfois munis d'un bouclier circulaire dont la décoration à base de motifs géométriques est similaire à celle de certains pectoraux en or.

SINU 450 - 1500 après J.-C.

Les plaines tropicales de la Caraïbe sont des zones de marécages, d'estuaires, de savanes et de forêts, avec des sols alluviaux fertiles et une faune variée. L'exploitation de ces ressources, l'adoption de l'agriculture de la yucca et d'autres tubercules permirent la constitution de sociétés complexes comme celle des Zenues qui, dès les débuts de notre ère, s'installèrent dans les bassins des fleuves Sinu, San Jorge, Cauca et Nechi.
Leur territoire était divisé en trois provinces aux fonctions économiques complémentaires : la production d'aliments, d'objets manufacturés et l'exploitation de l'or natif. Les chefs, appartenant à un même lignage, contrôlaient la distribution des produits grâce à un efficace réseau commercial.
Ils s'assurèrent la maîtrise des eaux dans les zones inondables au moyen d'un système de canaux artificiels qui recouvraient une superficie de 500 000 hectares.
Une nombreuse population s'établit le long des fleuves, en habitats isolés ou en villages édifiés sur des plates-formes artificielles qui servaient également de tertres funéraires. Vers l'an mil, la population diminua notablement. Certains groupes survécurent jusqu'à la conquête.

Pectoral zoomorphe - Musée de l'or, Bogota.
450 - 1500 ap. J.-C.
H : 6,3 cm - L : 3 cm.

Sinu

450 - 1500 ap. J.-C.
Musée de l'or, Bogota

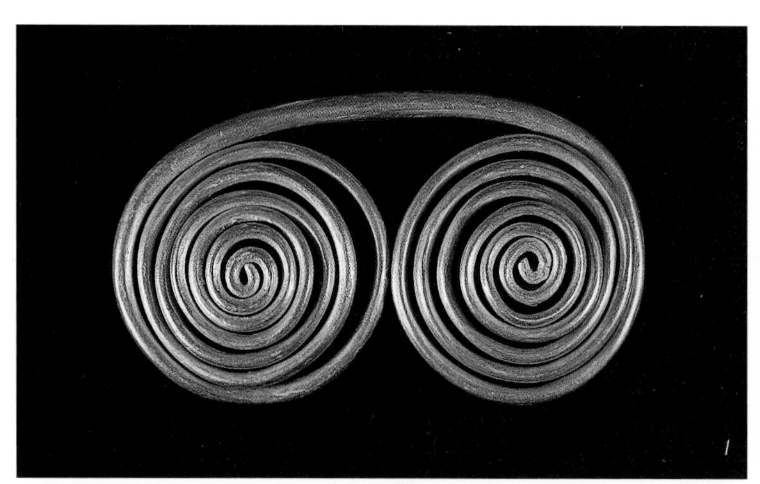

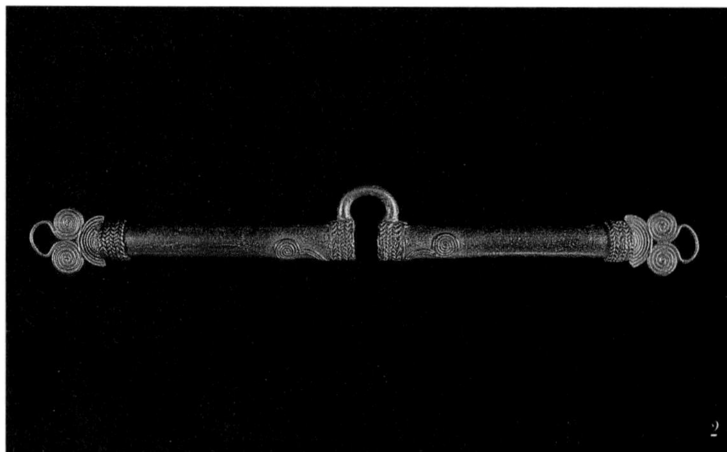

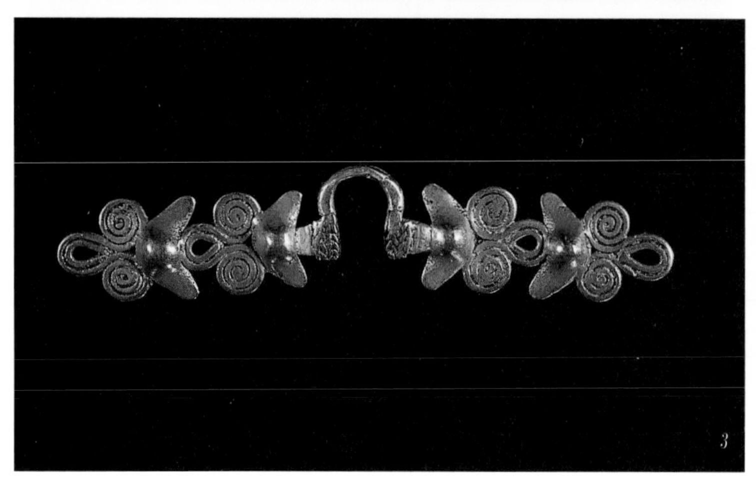

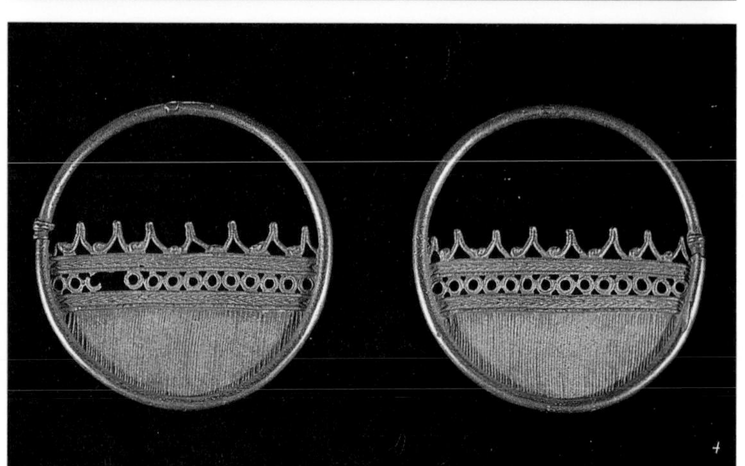

1 - Pectoral - H : 6,3 cm - L : 10,8 cm.
2 - Ornement de nez - H : 2 cm - L : 20 cm.
3 - Ornement de nez - H : 1,6 cm - L : 9,3 cm.
4 - Ornements d'oreilles - H : 4 cm - L : 4,2 cm.

600 - 1560 ap. J.-C.
Musée de l'or, Bogota

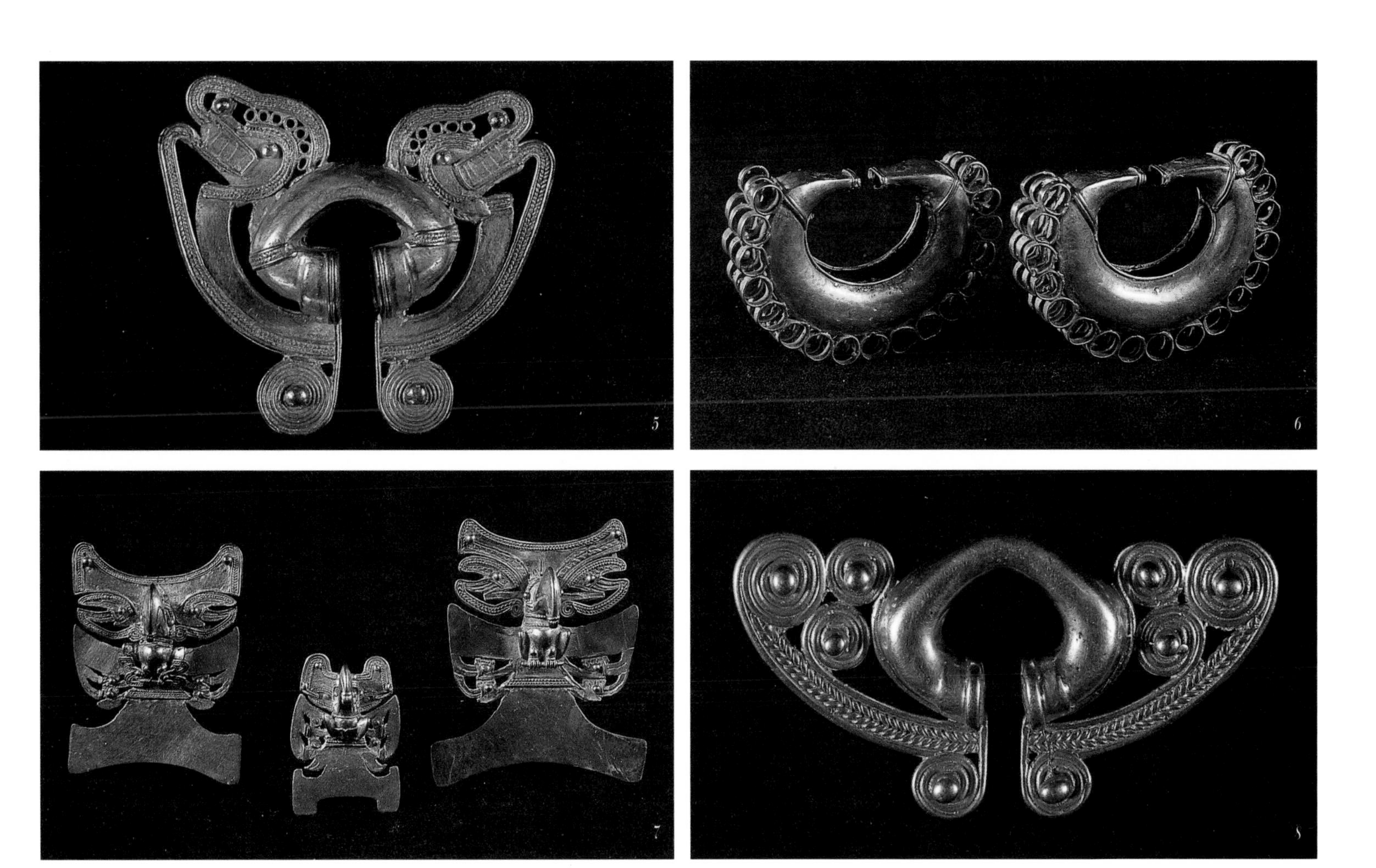

5 - Ornement de nez - H : 5,4 cm - L : 6 cm.
6 - Ornements d'oreilles - H : 4,2 cm - L : 6,1 cm.
7- Pendentifs en forme d'oiseaux - H : 7,6 cm - L : 6,3 cm.
H : 4,4 cm - L : 3 cm - H : 6,6 cm - L : 5 cm.
8 - Ornement de nez - H : 4,2 cm - L : 6,6 cm.

Colombie

Tairona

Pendentif anthropomorphe - Musée de l'or, Bogota.
600 - 1560 ap. J.-C.
H : 5,2 cm - L : 4,7 cm.

Collier - Musée de l'or, Bogota.
600 - 1560 ap. J.-C.

TAIRONA 600 - 1560 après J.-C.

Dans le nord du pays, la Sierra Nevada de Santa Marta fut peuplée par les Tairona qui, dès les premiers siècles de notre ère, commencèrent à se constituer en entité politique et sociale.
Leur période d'apogée se situe après l'an mil, lorsqu'ils se regroupèrent en de nombreux centres urbains. On connaît actuellement les vestiges de plus de deux cents établissements, dispersés sur un territoire s'étendant depuis les basses terres jusqu'à une altitude de 2 000 mètres, aujourd'hui enfouis sous une épaisse végétation. Ces centres sont remarquables par leur architecture et leurs ouvrages publics : terrasses, canaux d'irrigation, ponts, chemins, escaliers et des centaines de fondations de maisons.
Des centres aux dimensions variées attestent de la hiérarchisation du pouvoir politique autour d'établissements importants qui en contrôlaient d'autres, plus petits, à travers une élite composée de caciques et d'une puissante caste sacerdotale.
Les objets en pierre, en céramique et en or, réalisés par des artisans spécialisés, montrent des hommes et des animaux confondus dans des représentations au profond contenu symbolique, toujours en vigueur chez les Ijkas et Koguis, communautés indigènes qui habitent actuellement la Sierra Nevada de Santa Marta.

MUISCA 700 - 1560 après J.-C.

Le peuplement de l'altiplano de la cordillère orientale remonte à plus de 12 000 ans.
Des bandes de chasseurs occupèrent alors les abris sous roche de la région.
Il y a 3 000 ans, des communautés d'agriculteurs se développèrent grâce à l'exploitation et au commerce du sel. Ces populations léguèrent leur héritage culturel aux Muisca, groupe de langue chibcha qui s'installa sur l'altiplano vers le VIIème siècle de notre ère.
De cette période jusqu'à la conquête espagnole, ils contrôlèrent un territoire de 25 000 kilomètres carrés avec une population qui dépassa le million d'habitants.
Cultivant le maïs, la pomme de terre et d'autres tubercules andins, ils vivaient dispersés sur les versants des montagnes et dans les vallées ou regroupés en centres dans lesquels résidaient les caciques. Deux principaux seigneurs, le *Zipa* et le *Zaque*, essayaient de contrôler respectivement les zones sud et nord du territoire à travers une politique d'expansion toujours non consolidée au moment de l'arrivée des Espagnols.
La population se regroupait périodiquement dans les centres cérémoniels à l'occasion de rituels où l'or jouait un rôle fondamental. De petites figurines grossières, fabriquées par des artisans spécialisés, représentant des êtres humains, des animaux, des scènes de la vie politique et sociale étaient déposées en offrandes dans les temples, les grottes et les lagunes sacrées.

Tairona

Figurine - Musée de l'or, Bogota.
600 - 1560 ap. J.-C. - H : 6,2 cm - L : 2,6 cm.

Muisca

Tunjos, figurines votives.
Musée de l'or, Bogota.
700 - 1560 ap. J.-C.

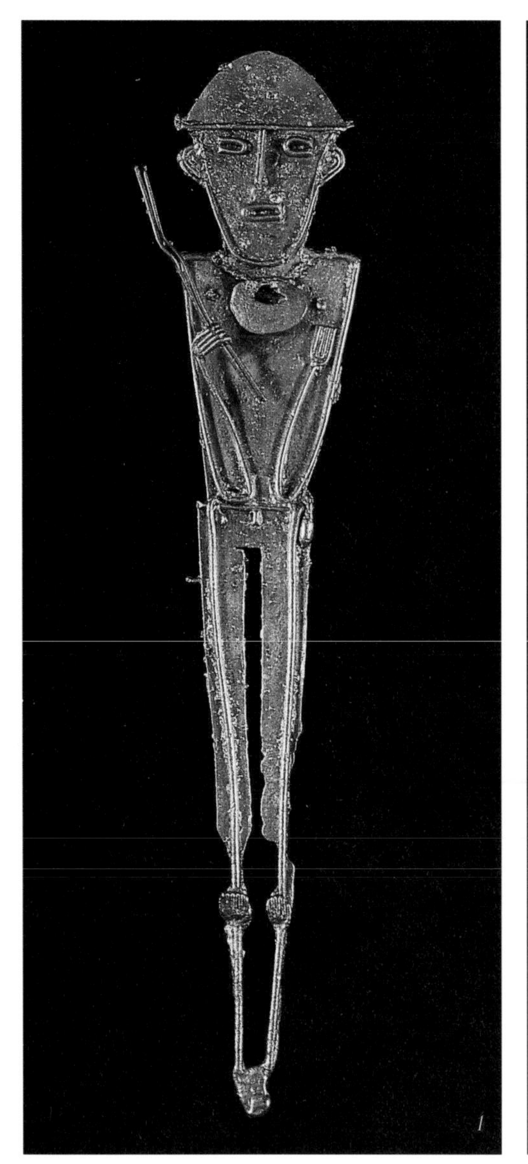

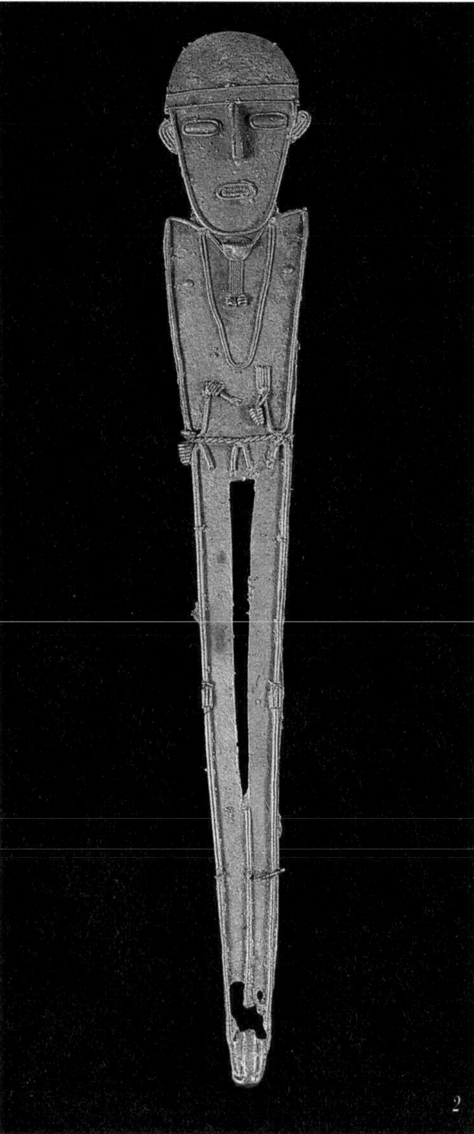

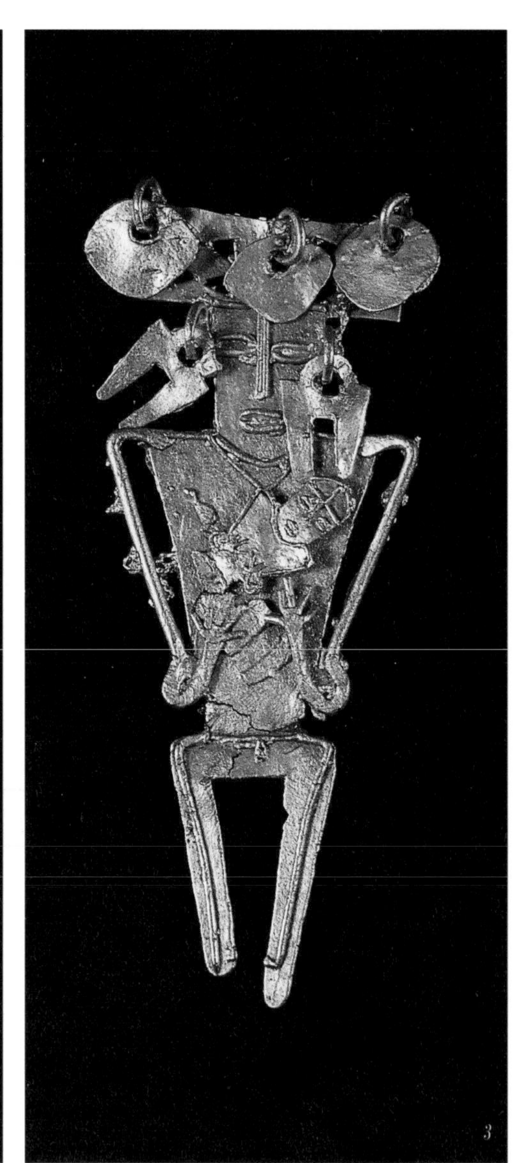

1 - H : 7,5 cm - L : 2 cm.
2 - H : 28,5 cm - L : 4 cm.
3 - H : 10,6 cm - L : 3,4 cm.

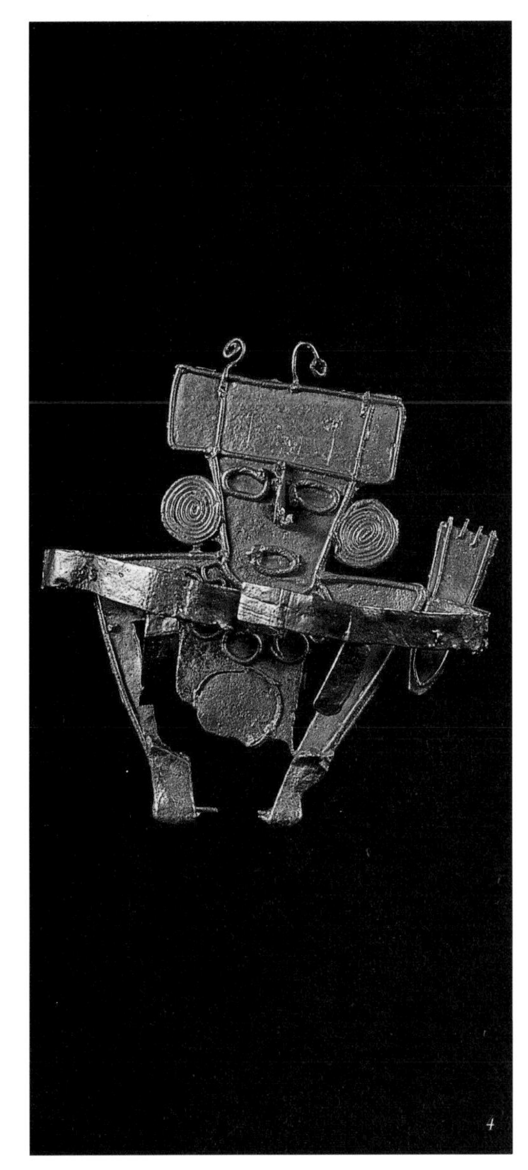

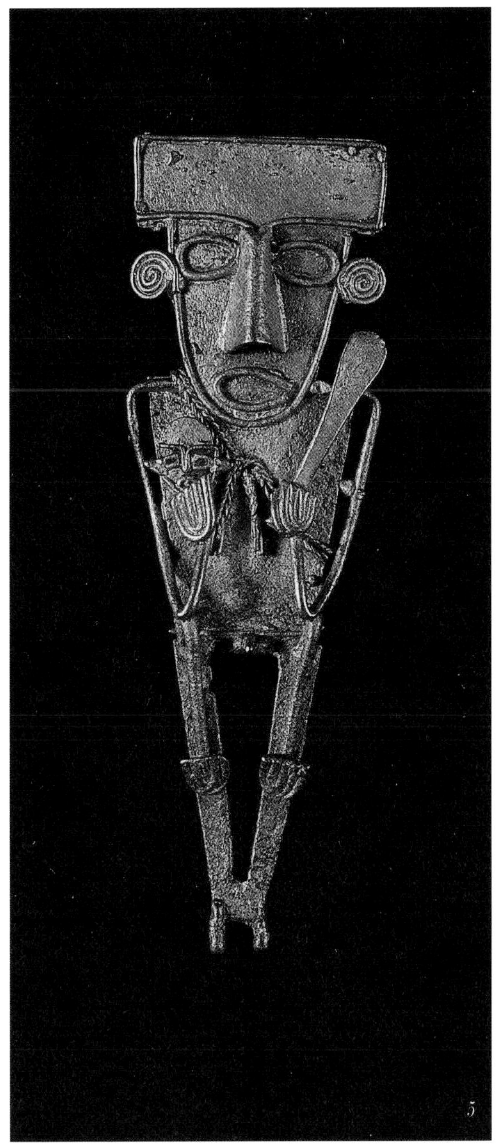

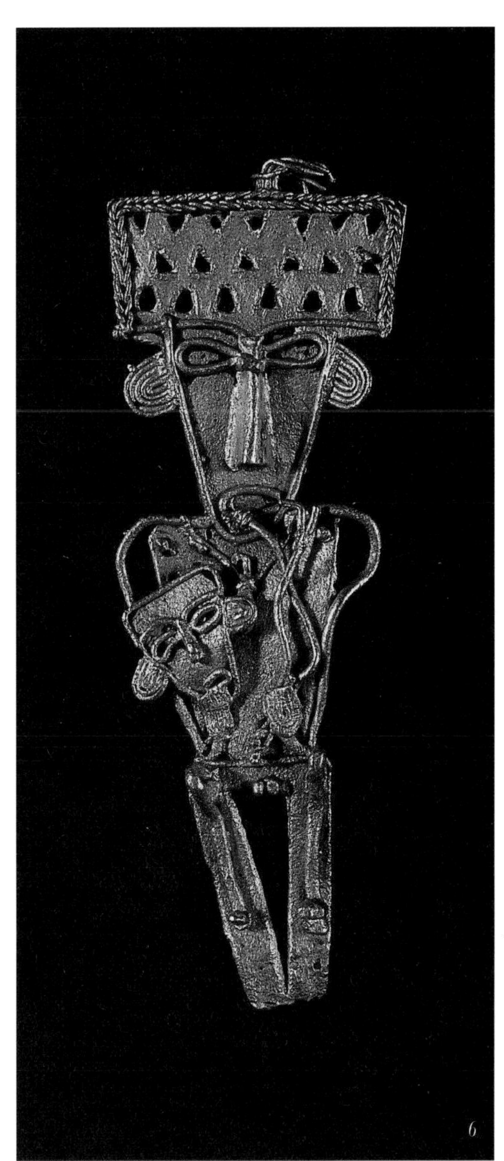

4 - H : 8,2 cm - L : 3,2 cm.
5 - H : 14,6 cm - L : 4,6 cm.
6 - H : 6,6 cm - L : 2,4 cm.

FONCTION ET SYMBOLIQUE DE L'ORFEVRERIE

Pour les peuples préhispaniques, l'or était le métal sacré, récepteur de l'énergie créatrice du soleil, astre générateur de vie et principe premier de fertilité. Il représentait l'offrande religieuse par excellence, ornement dans les rituels et symbole de prestige des dirigeants, intercesseurs entre l'univers social et le monde surnaturel.
Ces personnages étaient enterrés dans des tombes très élaborées, accompagnés par un riche mobilier funéraire en or.
Les pièces en or possédaient un profond contenu symbolique et exprimaient la pensée mythique des populations indigènes.
Les représentations d'une faune variée et d'hommes affublés d'attributs zoomorphes mettent en évidence l'union entre le monde du réel et celui du mythe. Au commencement, croyait-on, il n'existait aucune différence entre les hommes et les animaux. Quand apparurent le soleil et la mort, les hommes se retrouvèrent exclus du monde primordial, source de pouvoir.

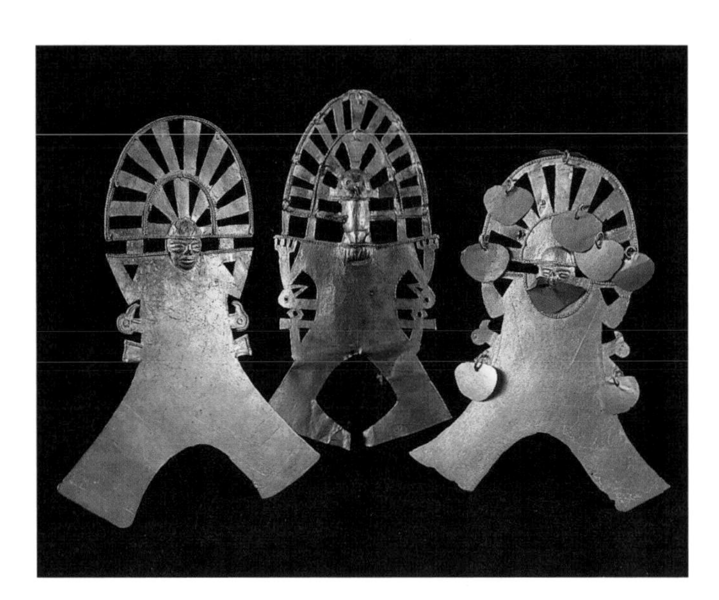

C'est grâce au rituel, avec ses danses, ses chants et ses masques, que l'homme pouvait établir le contact avec le monde primordial, en revenant à l'état homme-animal afin d'obtenir le contrôle surnaturel du cosmos.
Le chamane, chef religieux de la communauté, homme de savoir, médiateur entre les hommes, la nature et le cosmos, peut se transformer en oiseau ou en jaguar pour acquérir leurs pouvoirs et pénétrer dans le monde occulte, source de sagesse.
Ces associations, la valeur symbolique attribuée au métal, son origine sacrée, sa fonction emblématique et rituelle se retrouvent dans toutes les cultures préhispaniques colombiennes à travers diverses technologies de façonnage et la variété des styles régionaux.

LE SOLEIL, L'UNIVERS, L'OR

● "Le soleil est un homme muni d'un masque de feu. De ce masque sortent des rayons. Ces rayons font naître les semences et pousser les cultures."

Mythologie Kogui

● "Le soleil créa l'univers par la puissance de sa lumière dorée....Tout ceci fut créé par le soleil quand il fut animé de la volonté étincelante de former le monde."

Mythologie Desana

● "Autrefois le monde était fait d'or et le ciel l'est toujours."

Mythologie Cuna

● "Le tonnerre est le bruit produit, en tournant, par un petit tambour en or tiré par un enfant du peuple d'en haut."

Mythologie Catia

● " Dans la huitième couche du ciel, il y a un dieu sous l'apparence d'un homme revêtu d'or."

Mythologie Cuna

● "Le soleil était un petit homme laid et mal fait. On lui demanda : veux-tu être le père du monde ? Ayant répondu oui, on le vêtit d'or pur, habits d'or, sac en or, bonnet d'or, tout était en or... quand il se leva, la nuit s'acheva..."

Mythologie Kogui

● "Ibelele, le soleil, descendit avec sa soeur dans un plat en or..."

Mythologie Cuna

● "L'or ne doit pas être touché car il est chose sacrée. Il appartient aux anciens *mamas* (chamanes) qui le gardent dans leur sépulture."

Mythologie Kogui

● "Il existe une lagune où naît le fleuve Piendamo.... lorsqu'ils vont invoquer leurs ancêtres, la roche s'ouvre et les trésors, figurines, joyaux brillent de tout leur éclat."

Mythologie Guambiana

LES ANIMAUX

La pensée indigène ne s'intéresse pas à l'animal en tant que tel mais à ses qualités essentielles. Les crocs du jaguar ou les serres de l'aigle peuvent symboliser l'animal tout entier et posséder tout son pouvoir. Jaguar, crapaud et serpent constituent des éléments conflictuels de base. La direction du soleil naissant, l'est de l'univers, est dominée par le jaguar en tant qu'expression positive et vitale de l'existence. Le serpent, symbole de l'obscurité, du mal et de la mort régit l'ouest, direction où meurt le soleil. Au milieu, sur la terre des hommes, se trouve la grenouille, première épouse du soleil et représentation de la sexualité féminine.

● "Oiseaux, félins et serpents sont associés à l'air, à la terre et à l'eau. Ils jouent un rôle d'intermédiaire entre les différents milieux."

Mythologie Kogui

LE JAGUAR

● " Les Kogui sont le peuple du jaguar, leur terre est la terre du jaguar, leurs ancêtres sont les hommes-jaguars."

Mythologie Kogui

● "Alors le soleil créa le jaguar pour qu'il le représente en ce monde. Il lui donna la couleur de sa puissance et la voix du tonnerre qui est celle du soleil."

Mythologie Desana

● " Le jaguar est l'animal qui possède le pouvoir du soleil et le chamane est l'homme qui possède le pouvoir du jaguar."

Mythologie Kogui

Le soleil est un homme muni d'un masque de feu. De ce masque sortent

des rayons. Ces rayons font naître les semences et pousser les cultures.

Ci-dessus : Pectoral, culture Quimbaya - Musée de l'or, Bogota - 200 - 1500 après J.-C.
Page de gauche : Pectoraux, culture Muisca - Musée de l'or, Bogota - 700 - 1560 après J.-C. - H : 15,8 cm - L : 12 cm (moyenne).

MYTHES

Les mythes sont ceux de diverses communautés indigènes qui vivent actuellement sur le territoire colombien : les Koguis et les Ijkas de la Sierra Nevada de Santa Marta, dans le nord-ouest du pays ; les Cunas de la région d'Uraba, à la frontière entre la Colombie et Panama ; les Catios de la région montagneuse du nord-ouest colombien ; les Guambianos des terres andines du sud-ouest ; les Desana de l'est du pays. Les mythes nous aident à comprendre le symbolisme complexe des pièces d'orfèvrerie et de la production matérielle des peuples préhispaniques.

● "Le chamane est un homme-tigre. Grâce à son chant, il peut converser avec les esprits de l'eau et de la montagne, établissant ainsi une grande harmonie entre eux."

Mythologie Kogui

● "Le danseur a cessé d'être un homme. En dansant, il vole comme un pivert. Il déplace avec agilité ses pieds qui sont devenus ceux du jaguar désormais présent en son corps."

Mythologie Kogui

● "Il mit le masque, se transforma alors en jaguar et put ainsi percevoir les choses de l'autre monde de la façon dont le jaguar le voit."

Mythologie Kogui

LA GRENOUILLE

● "La grenouille était tout en or et servait de siège au soleil lorsqu'il recevait des visites... Les grenouilles n'aiment pas le soleil, elles appellent la pluie pour obscurcir la lumière du soleil..."

Mythologie Kogui

● "Le soleil se maria avec la grenouille... La grenouille continua de s'associer avec d'autres hommes, alors le soleil la chassa de la maison... Ensuite le soleil épousa la couleuvre qui, elle non plus, ne fut pas une bonne épouse... Finalement le soleil se maria avec la lune."

Mythologie Kogui

LES OISEAUX

● "Les oiseaux aquatiques sont les intermédiaires entre les forces supérieures de l'air et celles inférieures de l'eau."

● "Des oiseaux aux formes humaines apportèrent les graines des plantes dont les hommes ont besoin pour subsister. Le colibri amena la coca, l'aigle, le manioc, l'oiseau mangeur de tiques, les arbres et les fleurs et l'ara, le premier épi de maïs."

Mythologie Ijka

Le colibri symbolise la contradiction et l'opposition. Par son plumage brillant, il est un animal solaire, mais sa gourmandise et sa somnolence donnent le mauvais exemple. Le chamane se transforme en oiseau et avec l'aide de ses animaux auxiliaires, il vole jusqu'au monde occulte, source de connaissance.

LA CHAUVE-SOURIS

● "La chauve-souris est née des relations incestueuses entre Mulkuexe - avant d'être envoyé au ciel en tant que soleil - et son fils Enduksama, transformé en femme par Sintana. Elle symbolise le soleil noir, astre souterrain des ténèbres."

Mythologie Kogui

LE RITUEL

● "Quand je danse ainsi, l'or sacré brille et je vois mon ombre énorme passer sur les murs. Les anciens dansaient de cette façon avec l'or sacré."

Mama (chamane) Kogui

Au cours du rituel, les temps primordiaux revivent. Les mythes sont présents dans la danse ainsi que les paroles des êtres originels, créateurs de tout ce qui existe.

Autrefois le monde était fait d'or et le ciel l'est toujours.

Ci-dessus : Pectoral culture Sinu - Musée de l'or, Bogota - 450 - 1500 après J.-C. - H : 7.8 cm - L : 5.6 cm
Page de gauche : Pendentif en forme de lézard, culture Quimbaya - Musée de l'or, Bogota - 300 - 1000 après J.-C. - H : 11.3 cm - L : 2.7 cm

LA CEREMONIE DE L' EL DORADO

"Sur ce lac, ils faisaient un grand radeau avec des joncs, orné et décoré le plus somptueusement possible... Ils dénudaient l'héritier, le recouvraient d'une terre collante et le poudraient avec de l'or en poudre et en paillettes, de telle façon qu'il était complètement couvert de ce métal. L'Indien doré faisait son offrande en lançant tout l'or et toutes les émeraudes qu'il portait au milieu du lac. Les quatre caciques qui étaient avec lui faisaient de même; et le radeau retournant à terre, la fête commençait, les cornemuses, les cornes, les longs choeurs, les danses à leur manière, recevant le nouvel élu qui était reconnu comme prince et seigneur. De cette cérémonie vient le très célèbre nom de "El Dorado".

Juan Rodriguez Freyle, 1636

" Le grand seigneur, ou prince, était continuellement recouvert d'or moulu aussi finement que du sel. Le prince estimait que porter tout autre attribut était moins beau et que se parer d'ornements ou d'armes en or travaillé par martelage, estampage ou de toute autre façon, était chose grossière et commune. Certes, d'autres seigneurs et riches princes les portent quand ils le désirent. Mais se saupoudrer de poudre d'or est chose étrange, inusitée, neuve et plus coûteuse. Ainsi ce qui était porté durant une journée, depuis le matin, était enlevé en se lavant le soir et se perdait dans la terre. Il faisait cela tous les jours du monde..."

Gonzalo Fernandez de Oviedo, 1535

Lexique

Adobe	*Brique séchée au soleil.*
Chamane	*Personnalité religieuse servant d'intermédiaire entre les hommes, les divinités et le monde des esprits.*
Chefferie	*Organisation tribale placée sous l'autorité d'un chef.*
Huaca	*Lieu ou objet sacré. Roche naturelle ou construction censée être habitée par l'esprit d'une divinité et auquel est rendu un culte pendant lequel des offrandes sont offertes.*
Fibule	*Pièce métallique servant à réunir deux pans de vêtement.*
Kero	*Récipient en forme de gobelet, en bois, en céramique ou en or.*
Mangrove	*Dans les régions tropicales, zones littorales où les palétuviers forment des forêts impénétrables.*
Poporo	*Petit flacon caractéristique de l'orfèvrerie quimbaya où l'on conservait la poudre de chaux que l'on mêlait aux chiques de feuilles de coca.*
Tubulaire	*Adj. Structure cylindrique creuse.*

Orientation bibliographique

ALCINA FRANCH, José
L'art précolombien, Paris, L. Mazenod, 1978.

BAUDIN, Louis
La vie quotidienne au temps des derniers Incas, "La vie quotidienne", Paris, Hachette, 1955.

FAVRE, Henri
Les Incas, "Que sais-je ?" n° 1504, Paris, P.U.F., 1972.

LAVALLEE, Danièle, LUMBRERAS, Luis-Guillermo
Les *Andes de la Préhistoire aux Incas*, Paris, Gallimard, coll. "L'univers des formes", 1985.

LAFAYE, Jacques
Les conquistadores, "Le temps qui court", Paris, Le Seuil, 1964.

METRAUX, Alfred
Les Incas, "Le temps qui court", 26, Paris, Le Seuil, 1962.

GRAULICH, Michel
L'art précolombien, les Andes, la grammaire des styles, Flammarion, 1992.

PLAZAS, Clemencia
Museo del Oro, Banco de la Republica, Santa Fé de Bogota, D.C., Colombie, 1991.

CATALOGUES D'EXPOSITIONS

Trésors de Colombie, catalogue d'exposition, Abbaye de Daoulas, Musée départemental breton, 1990.
Trésors des Andes, catalogue d'exposition, Fondation Septentrion, Marcq-en-Baroeul, 1988.
Equateur, la terre et l'or, catalogue d'exposition, Maison de l'Amérique latine, Paris, décembre 1989 à février 1990.
L'or du Pérou, catalogue d'exposition, Maison de l'Amérique latine, Paris, décembre 1987 - janvier 1988.
L'art des Incas dans les collections des Musées de Cusco, catalogue d'exposition, Musée de Chartres, 1992.

On pourra également consulter utilement le fond documentaire du Musée de l'Homme.

Table des matières

Crédit photographique

Toutes les photographies illustrant ce volume sont de Jean-Claude KANNY, à l'exception des clichés représentant des objets conservés au Musée de la Banque Centrale de Réserve de l'Equateur, à Guayaquil.

Ouvertures de chapitres : PIX

Réalisation technique

Imprimerie Fort-Moselle - Metz - Tél. 87 30 00 05
Dépôt légal n° 1654 - 2e trimestre 1994